REBEKKA REINHARD

WÜRDE
PLATON
PRADA
TRAGEN?

Die Autorin

© Kay Blaschke

Dr. Rebekka Reinhard studierte Philosophie, Amerikanistik und Italianistik und promovierte über amerikanische und französische Gegenwartsphilosophie. Heute ist sie als philosophische Beraterin in eigener Praxis tätig. Auch arbeitet sie im klinischen Bereich sowie als Referentin, unter anderem in der ärztlichen Fortbildung und mit Führungskräften von Unternehmen. Ihr erstes Buch *Die Sinn-Diät*, erschienen 2009 im Ludwig Verlag, war ein Bestseller. Zuletzt erschien bei Ludwig *Odysseus oder Die Kunst des Irrens*.

€ 2,00 2Sp
W72

REBEKKA REINHARD

WÜRDE
PLATON
PRADA
TRAGEN?

Philosophische Überlebenstipps
für den Lifestyle-Dschungel

Mit Illustrationen der Autorin

LUDWiG

Ein Teil der Texte erschien bereits in der Zeitschrift
Madame und wurde für die Buchfassung überarbeitet.

Verlagsgruppe Random House FSC-DEU-0100
Das für dieses Buch verwendete
FSC®-zertifizierte Papier *Maxi Offset*
liefert Igepa group, hergestellt von UPM, Werk Dörpen.

2. Auflage

Lektorat: Regina Carstensen, München

Copyright © 2011 by Ludwig Verlag, München,
in der Verlagsgruppe Random House GmbH
www.ludwig-verlag.de
Umschlaggestaltung: Eisele Grafik-Design, München
Innenillustrationen: Rebekka Reinhard
Satz: Leingärtner, Nabburg
Druck und Bindung: RMO, München
Printed in Germany 2011
ISBN: 978-3-453-28029-8

Inhalt

I never think that people die.
They just go to department stores.
Andy Warhol

Vorwort

Sind Sie die perfekte Ehefrau, Freundin oder Mutter? Pendeln Sie schwerelos zwischen Kind und Karriere? Arbeiten Sie hart, auch an Ihrem Äußeren? Besitzen Sie Nerven aus Stahl? Haben oder hätten Sie gern eine Prada-Tasche? Wenn Sie mindestens zwei Fragen mit Jein beantwortet haben, gehören Sie dazu. Zu den modernen Frauen, die im Lifestyle-Dschungel ums Überleben kämpfen. Wo es von Plateau-Pumps und Lippenstiften nur so wimmelt. Wo sich hinter jedem Palmblatt ein launischer Vorgesetzter, ein unleidliches Kind oder eine permanent quasselnde Freundin verbirgt. Wo an jeder Ecke tausend Termine einzuhalten sind, vom Elternabend zur Telefonkonferenz, vom Business-Trip zum Kaffeekränzchen. Lassen Sie sich nicht einschüchtern. Setzen Sie Ihre Pilotenbrille auf und kämpfen Sie sich durchs Dickicht. Platon, Konfuzius und Co. helfen Ihnen, den Überblick zu behalten – und Ihren Sinn für Heiterkeit nicht zu verlieren.

Dieses Buch liefert Ihnen philosophische Gebrauchsanweisungen für jede Lebenslage. Profitieren Sie von den ewig gültigen Erkenntnissen legendärer Philosophen. Lernen Sie, gelassener zu werden – ob beim Schuhkauf oder in Gegenwart eines hypochondrischen Mannes. Üben Sie sich in der Kunst der Freundschaft, des Neinsagens oder des Hoffens. Erwerben Sie philosophische Lizenzen zum Faulsein, zur Schüchternheit und zum Ausrauben von Pralinenschachteln!

Männliche Leser finden in diesem Buch ein ideales Navigationssystem für die verschlungenen Pfade sogenannter Frauenthemen. Sie können die rätselhaften weiblichen Bedürfnisse, Ansprüche und Sehnsüchte aus nächster Nähe betrachten und dabei völlig unbemerkt bleiben. Und nebenher erfahren, was Prada mit Platon zu tun hat …

Zum Schluss verrate ich Ihnen noch ein Geheimnis: Philosophie muss keine schwer verdauliche Kost sein. Sie darf manchmal auch Spaß machen und sogar ein ganz kleines bisschen glamourös sein. Sie brauchen keinerlei Voraussetzungen, um von diesem Buch zu profitieren. Fangen Sie einfach von vorne, von hinten oder in der Mitte an zu lesen. Lesen Sie alle Seiten auf einmal oder eine Seite pro Tag, ganz wie Sie wünschen. Schon nach kurzer Zeit werden Sie Ihre Lust an der Philosophie entdecken.

Apropos Schuhe

Für die moderne Frau, die zwischen einem Paar Louboutins und dem Nichts natürlich die Louboutins wählt, bedeutet das Wort »Schuh« nichts anderes als »Habenwollen«. Ist die Idee des Habenwollens einmal in ihrem Kopf verankert, kennt sie kein Halten mehr. Die moderne Frau gürtet ihren Trenchcoat und stürmt die Boutiquen. Schuh um Schuh schmiegt sich an ihre zarten Fußsohlen, während der Verkäufer ihr ins Ohr haucht: »Tod's … Lanvin … Jimmy

Choo …« Zu Hause potenziert sich die Anzahl der Paare … 30, 88, 220 …, bis der begehbare Kleiderschrank unbegehbar wird. Die moderne Frau legt die frisch erstandenen Manolos beiseite und fängt an zu rechnen: »100 Paar sind mehr als 50 – aber 200 sind mehr als 100. 100 sind nichts im Vergleich zu 1000, und 1000 …« Hat sie erkannt, dass »mehr« immer »noch mehr« zur Folge hat, sammeln sich Tränen in ihren Augen. Die moderne Frau ist nicht dumm. Sie erinnert sich an Epikurs Worte: *Wem wenig nicht genügt, dem genügt nichts.* Sie setzt ihre Pilotenbrille auf und bringt die Manolos zurück. Das, was sie nun hat, ist tatsächlich wenig im Vergleich zu dem, was sie haben könnte …

Epikur (341 v. Chr.–270 v. Chr.) wählte einen Gewürz- und Gemüsegarten außerhalb Athens als Ort für seine Philosophieschule, zu der auch Sklaven und Frauen, darunter sogar ein paar Prostituierte, Zutritt hatten – ein damals revolutionärer Akt. Mit seiner *Philosophie der Freude* inspirierte er berühmte Römer wie Cicero, Horaz, Vergil oder Seneca. Allen, die schon immer wissen wollten, wie man sich von der Abhängigkeit von Äußerlichkeiten befreien kann, empfehle ich seine Spruchsammlung.

Apropos Männer

Was für Männer und Frauen allgemein gilt, gilt für die moderne Frau und den modernen Mann im Besonderen: Sie sind ziemlich gegensätzlicher Natur. Der moderne Mann verbringt seine Nächte am Wickeltisch – die moderne Frau stabilisiert den Aktienmarkt. Der moderne Mann glänzt mit weitschweifigen Schilderungen seines Innenlebens – die moderne Frau mit einem SUV. Der moderne Mann träumt von Romantik – die moderne Frau vom Erwerb eines Waffenscheins. Männer sind nicht mehr das, was sie einmal waren. Sie beeindrucken uns nicht durch das, was sie haben. Sondern durch das, was sie nicht haben. Eine weithin sichtbare Oberarmmuskulatur. Macho-Allüren. Hohe Cholesterinwerte durch unausgewogene Ernährung. Zweit- und Drittehen. Die Männer von heute machen keinen Terror, wenn wir einmal ein Wochenende ganz für uns allein brauchen. Zwar wissen sie Eau de Toilette und Eau de Cologne nicht immer zweifelsfrei zu unterscheiden. Dafür braten sie uns ohne Murren ein ausgezeichnetes Schnitzel, wenn wir müde von der Arbeit kommen. Wir lieben sie für Eigenschaften, die den unseren widersprechen. Ist das logisch? David Hume sagt: *Das Herz des Menschen ist so angelegt, dass es Widersprüche miteinander vereint.*

David Hume (1711–1776), schottischer Philosoph und Politiker, ist der Hauptvertreter des englischen Empirismus. Im Gegensatz zu René Descartes vertrat er die These, dass unser Verhalten nicht vom Verstand regiert wird, sondern von unseren Leidenschaften gesteuert ist. All unsere Vorstellungen basieren nach Hume auf Sinneswahrnehmungen. Humes Schriften weckten Immanuel Kant aus seinem »dogmatischen Schlummer« und waren auch für Charles Darwin essenziell.

Apropos Faulheit

Sie glauben von sich, Sie seien faul? Sie glauben, ein Faulpelz zu sein, weil Ihre liebste Tätigkeit das Nichtstun ist? Weil es Sie größte Überwindung kostet, die von kuscheligen Nachmittagen übrig gebliebenen Schokoflocken von Ihrem Cardigan zu pusten? Weil Sie Ihre Pullover weder in die Reinigung bringen noch selbst waschen, sondern lieber fleckig m Schrank liegen lassen? Ihr Verdacht könnte begründet sein. Der Schlummer der Faulheit lähmt zwar die Tatkraft, befreit jedoch die Gedanken. Es könnte sein, dass Sie zwar faul sind, dafür aber eine große Denkerin. Gibt es etwas Bequemeres, als im Zustand der Faulheit über ein anstrengendes Thema nachzudenken – zum Beispiel über das Thema Arbeit? Die Gedanken über die Arbeit, die Sie auf Ihrem Kanapee ausbrüten, könnten zur Menschheitsgeschichte viel beitragen. Theoretisch. Ist ein fauler Mensch denn ein schlechter Mensch? Ein fauler Mensch ist zwar faul, aber gemütlich … Und ist gemütlich zu sein schlecht? Was ist denn überhaupt schlecht an der Faulheit? Schlecht ist, dass alle Faulheit ein Ende hat. *Faulheit ist die Furcht vor der bevorstehenden Arbeit*, sagt Marcus Tullius Cicero. Er hat nicht unrecht: Faulheit ist fein – Arbeit ist Pein!

Marcus Tullius Cicero (106 v. Chr.–43 v. Chr.) war Politiker, Schriftsteller und einer der glanzvollsten Redner Roms. Seine besondere Leistung liegt darin, das griechische Denken an die römische Welt vermittelt zu haben. Ciceros philosophische Schriften hatten eine außerordentliche Wirkungsgeschichte. »Cicero hat uns denken gelehrt« – so Voltaire. Allen von der Midlife-Crisis Geplagten empfehle ich seine Schrift *Über das Alter*, eine wertvolle Orientierungshilfe zum Thema »sinnerfülltes Leben«.

Apropos Technik

Sie besitzen ein herausragendes Urteilsvermögen. Es kostet Sie keine Zehntelsekunde, die Echtheit eines Hermès-Schals zu überprüfen. Sie sind nicht nur informiert, sondern auch gebildet. Sie wissen zwischen Deichmann und Dior zu unterscheiden wie zwischen Ethik und Moral. Sie kennen die Argumente postkolonialer Kritik. Sie können Mario Vargas Llosa im Original zitieren. Sie beherrschen sogar ein paar Brocken Mandarin. Nur von einem Audio-Setup-Menü haben Sie noch nie gehört. Und was, bitte, ist eine Set-Top-Box? Wozu, um Himmels willen, braucht man einen YPbPr-Ausgang?

Sie sind bekannt für Ihr sicheres Auftreten. Sie triumphieren in Konferenzen wie in Kinderzimmern. Nur nicht in der Gegenwart von HDMI-Buchsen, Koaxialkabeln und progressiven Scan-Funktionen. Sobald Sie sich mit Bitrates, EasyLinks und JPEG-Navigatoren auseinandersetzen müssen, verlieren Sie den Glauben an einen Sinn des Lebens. Ihr Vertrauen in die Verständlichkeit dieser Welt geht schlagartig gen null. Doch Sie geben sich nicht geschlagen. Nicht, seit Sie John Dewey verinnerlicht haben: *Vertrauen heißt: sich den Tatsachen des Lebens direkt und mutig stellen.* Erneut greifen Sie zur Bedienungsanleitung. Sie stecken aus, schließen an, tippen Befehle. Mutig und direkt.

John Dewey (1859–1952), amerikanischer Philosoph und Highschool-Lehrer, steht in der Tradition des philosophischen Pragmatismus. Mit seinem demokratischen Erziehungsbegriff revolutionierte er das Erziehungswesen. Seiner Meinung nach sollte Lernen nichts mit Auswendiglernen zu tun haben, sondern auf selbstständiger Wahrheitssuche basieren. Auch heute noch sind Deweys Ansichten äußerst nonkonformistisch und deshalb sehr sympathisch.

Apropos Unruhe

Eigentlich haben wir ja alles. Einen liebe-
vollen Ehemann. Großartige Kinder. Einen
gehorsamen Hund. Ein geräumiges Heim.
Trotzdem fühlen wir uns unruhig. Was ist
bloß los mit uns? Wir sind gesund, unsere
Zähne blendend weiß. Wir haben tolle
Freundinnen. Wir sind intelligent. Und wir
haben Ausstrahlung. Uns wird nie langwei-
lig. Letzten Winter waren wir Snowboarden,
diesen Winter fliegen wir in den Süden. Unsere Zimt-Tarte ist über die Stadtgrenzen hinaus bekannt. Man mag uns. Warum nur die-

se Unruhe? … Wir sitzen vor dem Kamin und vertiefen uns in Leo Tolstois *Anna Karenina*. Unsere Gedanken wandern in die Zukunft. Da ist sie wieder, die Unruhe, unsere alte Bekannte. Gerne würden wir uns aufs Lesen konzentrieren, aber die Unruhe hat uns im Griff. Das Zwicken im Magen beunruhigt uns. Und das Gähnen des Hundes. Und das Knistern des Feuers. Und das Ticken der Uhr. Und das Lachen der Kinder im Obergeschoss. Nicht das, was ist, sondern was sein könnte … Es ist alles wie immer. Der Schlüssel dreht sich im Schloss, unser Mann kommt nach Hause, der Hund bellt. *Nicht die Dinge beunruhigen die Menschen, sondern ihre Meinung über die Dinge.* Ein Satz von Epiktet. Den schreiben wir uns hinter die Ohren.

Epiktet (ca. 50–138) war Sklave in Rom, bevor er zu einem der berühmtesten Stoiker wurde. Kein Wunder also, dass sein zentrales Thema die Freiheit ist. Seine Philosophie, die Marc Aurel maßgeblich beeinflusste, hilft uns, frei von Sorgen, Ängsten und Abhängigkeiten aller Art zu werden und auf das einzig wirklich Verlässliche zu bauen: unseren Verstand. Sein *Handbüchlein der Moral* ist einer meiner Lieblingstexte.

Apropos Familie

Uns an unserem Geburtstag in ein Jazzlokal einschmuggeln und zu den Klängen von Billy Holidays »Lady Sings The Blues« entspannen. Wäre ganz nach unserem Geschmack ... Aber was würde unser Mann sagen? Würde er uns nicht der Depression verdächtigen? Oder: Mal einfach alles stehen und liegen lassen und einen Urschrei loslassen ... Aber was würde unser Stiefsohn von uns denken? Hätte dies nicht verheerende Auswirkungen auf sein Frauenbild? Die Familie ist uns heilig. Emanzipation hin oder

her. Aber wie begrenzt man den Definitions-
bereich der Familie? Da wir mit unserem
Exmann, dem Vater unserer Kinder, regelmäßig Weihnachten verbringen, gehört er
selbstverständlich dazu. Und was ist mit der
Exfrau unseres Mannes? Nimmt uns regelmäßig die Betreuung der Schwiegermutter
ab, müssen wir natürlich auch mit einrech-
nen. Und der Bruder des Onkels der Exfrau
unseres Mannes? Gibt den Kindern kosten-
los Nachhilfeunterricht, ist also auch Familie. Und die Tochter des Bruders des Onkels
der Exfrau unseres Mannes – ja, auch die …
Wir sind umzingelt. An jeder Ecke ein Fa-
milienmitglied, dessen Bedürfnisse es zu
berücksichtigen gilt. Da hilft nur eins – ein
Leitsatz von Marie von Ebner-Eschenbach:
*Ganz aufgehen in der Familie heißt ganz
untergehen.*

Marie von Ebner-Eschenbach (1830–1916) war eine ös-
terreichische Romanschriftstellerin und Aphoristikerin. Sie
ist vor allem wegen ihres unausrottbaren Wissenstriebs,
ihres kritischen Geists und ihres Muts zur Wahrheit eine
Philosophin zu nennen. Allen, die in puncto Emanzipation
dazulernen möchten, empfehle ich Ebner-Eschenbachs
Aphorismen und Tagebücher.

Apropos Schönheit

Die Schönheitspflege ist unser längstes Langzeitprojekt. Keiner anderen Beschäftigung gehen wir so pflichtbewusst nach wie dieser. Bei keiner anderen kommen wir so selten an ein Ende. Im Alter von drei entdecken wir erstmals den Wert des Lippenstifts: Er ist meist nicht kussecht, verziert aber unser Kinn. Wenn wir 14 sind, erkennen wir, dass Puder nicht einfach Puder ist. Sondern dass es auf qualitative Unterschiede zu achten gilt: loser Puder, kompakter

Puder, Powder-Make-up. Mit 25 haben wir die Ära der Drogerie-Produkte für immer hinter uns gelassen – in unserem Beautycase findet sich nur noch, was Rang und Namen hat: Altstars (Chanel), Rockstars (Versace), Newcomers (Thierry Mugler) … Inzwischen haben wir die 40 überschritten. Wir stehen vor einem für immer unlösbaren Rätsel. Unsere Seele ist jung wie am ersten Tag – und unser Körper? Mit oder ohne Bodylotion: Im Laufe der Zeit weicht unsere Schönheit etwas Höherem. Der Erhabenheit. *Das Erhabene rührt, das Schöne reizt*, sagt Immanuel Kant und meint: Wir sind jetzt in eine höhere Kategorie als »reiz-voll« einzuordnen. Unser neuer, erhabener Look ist alles andere als süß. Er ist, wie das Leben, schlichtweg erregend.

Immanuel Kant (1724–1804) ist die Leitfigur der philosophischen Aufklärung. Er wollte klären, inwieweit wir mit unserer »reinen«, erfahrungsunabhängigen Vernunft die wahre Wirklichkeit überhaupt erkennen können. Seine berühmten vier Fragen bewegen uns bis heute: »Was kann ich wissen? Was soll ich tun? Was darf ich hoffen? Was ist der Mensch?« Kant im Original zu lesen ist allerdings nur für Freunde hochkomplexer Schachtelsätze ratsam.

Apropos Zeitdruck

Sie halten sich streng an Ihren Terminkalender, weil Sie keine Minute vergeuden wollen? Weil Sie es sich nicht leisten können, Zeit zu verschenken, nicht einmal ein halbes Stündchen? Dann wundern Sie sich wahrscheinlich, dass von der Zeit, die Sie so eifrig sparen, rein gar nichts übrig bleibt. Schuld ist das Zeit-Monster, das in den Short-sleepers und Quick-eaters dieser Welt willige Opfer findet. Das Zeit-Monster pfeift auf die Business-Class-Etikette. Weder Laptops noch Handys können es daran hindern, seinen Weg in das Hirn der Vielflieger, Hotelschlafer und Urlaubsvermeider zu finden.

Und dort jeden Gedanken an das Hier und Jetzt mit seinem Riesenrüssel aufzusaugen. Oh, Effizienz ist Ihnen nicht so wichtig? Sie sind eher der ruhige Typ, den schon der Anblick eines BlackBerrys an die Grenzen der Belastbarkeit treibt? Dann sind Sie vermutlich Experte im Warten. Sie kennen die quälende Endlosigkeit des Wartens auf den Eintritt eines heiß ersehnten Ereignisses, sei es die Lieferung eines neuen Apple-Modells oder der Sommer. Es ist eine Ewigkeit, die immer ewiger wird, je länger sie dauert. Denn das Zeit-Monster bläst ständig Zukunft hinein. *Das Leben ist kurz, wo es lang, und lang, wo es kurz sein sollte.* Mehr weiß Novalis dazu auch nicht zu sagen.

Novalis (1772–1801) alias Friedrich von Hardenberg ist neben Friedrich Wilhelm Schelling, Ludwig Tieck und den Brüdern August Wilhelm und Friedrich Schlegel der berühmteste Dichter der Frühromantik. Seine schwächliche Gesundheit konnte ihn nicht davon abhalten, neben seiner Arbeit als Salinenassessor auch ein sehr originelles philosophisches Werk zu verfassen, unter anderem seine großartigen *Blüthenstaub*-Fragmente. Er starb an Tuberkulose, die er sich vermutlich als Krankenpfleger Friedrich Schillers geholt hatte.

Apropos Ehe

Herausforderungen. Ein rares Gut, ohne das die moderne Frau nicht leben kann. Meist fällt es ihr leicht, sich zu behaupten. Alle respektieren die natürliche Autorität, mit der sie ihre Strafzettel von der Windschutzscheibe fegt. Alle beneiden sie um die Grazie, die sie zur Schau stellt, wenn sie mit zwei Kindern, Aktenmappe und Notebook unter dem Arm auf haushohen Ankle Boots heimwärts stöckelt. Alle … mit einer Ausnahme: *Er*. Ihr Mann macht ihr das Leben schwer – weshalb sie Typen, die nicht mit ihr verheiratet sind und die sie *niemals* heiraten würde, gerne romantisiert. Eine kleine, unkomplizierte Abwechslung ab und an? Warum nicht? Die moderne Frau hätte da ein paar stylische Ideen: »Tom« statt »Gerd«. »Maurice« statt »Markus«. Goldblond statt aschblond. Sie weiß ja, was ihr steht. Junge Götter in farblich fein aufeinander abgestimmten Kombinationen, denen man den Unterschied zwischen Pop Art und Op-Art nicht hundert Mal erklären muss! Aber, ach …

Wo bliebe die Herausforderung? Søren Kierkegaard hat es erkannt: *Die Ehe ist und bleibt die wichtigste Entdeckungsreise, die ein Mensch unternehmen kann – jede andere Kenntnis des Daseins ist oberflächlich.*

Søren Kierkegaard (1813–1855) ist der Begründer der modernen Existenzphilosophie. Er bereitete Martin Heidegger und Jean-Paul Sartre den Weg. Seine Schriften mit dramatischen Titeln wie *Furcht und Zittern* oder *Die Krankheit zum Tode* erfassen die Conditio humana des modernen, metaphysisch obdachlos gewordenen Menschen mit großer Hellsicht. Kierkegaard ist nicht leicht zu lesen, die Lektüre lohnt sich aber schon wegen der stilistischen Brillanz seiner Texte.

Apropos Selbstliebe 1

Wie lieb ist die Liebe? Liebe ist Macht. Denn nicht wir wählen die Liebe – die Liebe wählt uns. Nehmen wir die romantische Liebe. Ein überaus launisches Gefühl, das in die Kammern unseres Verstands einzieht und dort große Unordnung anrichtet. Die vormals ruhigen Denkstübchen fangen an zu tanzen. Jeder Winkel wird in Aufruhr gebracht, bis nichts mehr ist, wie es war. Dieses Gefühl ist maßlos in seinem Veränderungsdrang. Weshalb der Verstand, empört über so viel Spontaneität, sich fest vornimmt, seiner Untermieterin zu kündigen. Doch daraus wird nichts. Sie breitet sich aus – er schrumpft auf Nussschalengröße.

Noch imposanter zeigt sich die Liebe, wenn sie sich mit der eigenen Person vereint: als Selbstliebe. Wer leugnet nicht, sich selbst zu lieben? Und wer reserviert dennoch das meiste Mitgefühl, die meiste Aufmerksamkeit für sich selbst? … Senken wir einen Moment lang schamhaft den Blick. Und erinnern uns an François de La Rochefoucauld: *Wir empfinden unser Freud und Leid je nach dem Maß unserer Eigenliebe.* Denken wir daran, wenn wir das nächste Mal in Tränen ausbrechen.

François de La Rochefoucauld (1613–1680) ist der erste der großen französischen Moralisten des 17. und 18. Jahrhunderts, die sich – lange vor Sigmund Freud – für die geheimen Beweggründe menschlichen Handelns, unsere (Selbst-)Täuschungen sowie die Falschheit der sogenannten guten Gesellschaft interessierten. Seine *Maximen und Reflexionen* sollten in keinem Haushalt fehlen. Wer sie in kritischen zwischenmenschlichen Situationen parat hat, ist immer gut gerüstet.

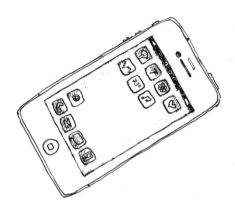

Apropos Selbstliebe 2

Wie lieb ist die Liebe? Liebe ist Schmerz.
Als Liebesdramen bezeichnen wir Zwei-
Personen-Stücke, bei denen Zuschauer un-
erwünscht sind. Typische Elemente sind
Weinkrämpfe. Wutanfälle. Nächtelange Dis-
kussionen (von A nach B und wieder zu-
rück). Ergreifende Versöhnungsversuche.
Und niederschmetternde Geständnisse. Über
Monate, Jahre brillieren wir in der Rolle
der Betrogenen. Bis wir irgendwann in den
Streik treten. Unser mehrfach gebrochenes

Herz tut es nicht mehr. Wir trocknen die Tränen, ziehen die Schultern zurück und recken das Kinn nach oben. Wir sagen der Schauspielerei Ade. Ab sofort üben wir uns in Selbstliebe. Dazu brauchen wir keinen Coach. Wir sind Superfrauen. Wir haben das Zeug dazu, sein Aftershave in den Ausguss zu schütten. Sein iPad unserem Neffen zu vermachen. Seine Anzüge der Caritas zu stiften. Seinen Mercedes an die Wand zu fahren. Liebe ist Macht. Vor allem dann, wenn sie der richtigen Person gilt: uns selbst. *Es bedarf größerer Tugenden, das Glück zu ertragen als das Unglück*, schreibt François de La Rochefoucauld. Denken wir daran, bevor wir wieder einmal haltlos in Tränen ausbrechen.

François de La Rochefoucauld (1613–1680) tat sich in seiner ersten Lebenshälfte vor allem in kriegerischen Auseinandersetzungen und als politischer Aktivist hervor. Erst mit vierzig begann er sich der Schriftstellerei zu widmen. Seine *Maximen und Reflexionen* wurden ein Bestseller. Inspirationen für diese Aphorismensammlung fand er hauptsächlich in den Pariser Salons wie dem der Gräfin de La Fayette, die über die Schärfe und den Spott in La Rochefoucaulds Werk höchst empört war.

Apropos Lebenssinn

Besteht der Sinn des Lebens darin, sich von einer Diät zur nächsten zu schleppen? Fragen wie diese hören wir nicht gern. Lieber üben wir uns darin, dem Tiramisu den Apfel vorzuziehen. Und wir verzichten auf Lasagne und Kartoffelgratin. Stattdessen knabbern wir an einem Rucolablatt. Ein 95er Château Chasse-Spleen? Ein Hochrain Riesling Smaragd? Nein danke. Für uns nur drei Liter natriumarmes, sauerstoffreiches H_2O. Stellen wir die philosophische Grundfrage:

Warum? Versuchen wir uns einmal weniger auf unseren Fettstoffwechsel zu konzentrieren. Beobachten wir zur Abwechslung dafür unseren Gedankenstoffwechsel. Denken wir zu oft: »Hätte ich doch … Wäre ich doch …«, setzen wir zu viele Gedanken-Pfunde an. Was uns behäbig und griesgrämig werden lässt. Denken wir ständig: »Was wäre, wenn … Müsste ich nicht …«, riskieren wir, zu viele Gedanken zu verbrennen. Wodurch wir gehetzt und ausgezehrt wirken … Tun wir einfach wieder das, was uns auf den Hochgeschwindigkeitsflügen unserer Gedanken immer wieder entgleitet. Das, was wirklich Sinn macht. *Sinn, und dieser Satz steht fest, ist stets der Unsinn, den man lässt.* Wenn Odo Marquard recht hat – her mit den frittierten Scampi!

Odo Marquard (*1928), deutscher Philosoph, ist bekennender Skeptiker. Er brilliert vor allem mit (für einen Universitätsprofessor ungewöhnlichen) Wortschöpfungen wie »Inkompetenzkompensationskompetenz« sowie mit scharfzüngigen und stilistisch eigenwilligen Essays, die er gern mit dem Begriff der »Transzendentalbelletristik« belegt. Sein Aufsatz *Zur Diätetik der Sinnerwartung* hat mich zu meinem Buch *Die Sinn-Diät* inspiriert.

Apropos Stil

Irgendwann in ihrem Leben schlittert die moderne Frau in eine Stilkrise. Das Tief kündigt sich an, wenn sie beim Anblick ihres neuen Handys nicht mehr in Ekstase gerät. Weil die anderen auch damit herumlaufen. Wenn ihr Hightech-Induktionswok sie plötzlich kalt lässt. Weil die Küchen der anderen auch damit ausgestattet sind. Tapfer versucht die moderne Frau, ihre Stilkrise zu überwinden. Sie läuft zum elegantesten Coiffeur der Stadt. Sie lässt sich einen Kurzhaarschnitt verpassen. Sie macht glückliche Verrenkungen vor dem Spiegel. Bis ihr einfällt, dass die anderen mit der gleichen Frisur herumlaufen. Wegen Jean Seberg. Die moderne Frau will unbedingt ihre Stilsicherheit zurück. Wild entschlossen reist sie nach Mykonos. Dort wird ihr klar, dass sie auch diesmal danebengegriffen hat. Denn die anderen sind auch schon da und tun, was alle tun. Und immer schon getan haben. Feiern, schlafen und vergessen. Wie stillos. Die moderne Frau besinnt sich. Nach einer kurzen, aber effektiven Meditation ist die Krise überstanden. Sie steigt in ihren Mini, schleudert das Navigationssystem aus dem Fenster und düst mit unbekanntem Ziel davon. Ihr Gepäck … nichts als ein Satz von Lucius Annaeus Seneca: *Meidet alles, was der Masse gefällt* ... Stilvoller geht es nicht.

Lucius Annaeus Seneca (ca. 0–65 n. Chr.) war einer der reichsten Männer Roms. Er leitete unter Kaiser Nero die Staatsgeschäfte, bis der ihn aufgrund seiner angeblichen Verstrickung in eine Verschwörung zum Selbstmord zwang. Außerdem betätigte sich Seneca als philosophischer Schriftsteller und Briefschreiber. Neben Epiktet und Marc Aurel zählt er zu den wichtigsten Spätstoikern, die uns zur Gelassenheit mahnen. Wer sich auf Senecas Schrift *Das Leben ist kurz!* einlässt, kann sich das x-te Zeitmanagement-Seminar sparen.

Apropos Neinsagen

Neulich freuten wir uns auf eine stille Stunde mit Goethe. Doch dann rief unsere Schwester an. Und verlangte allen Ernstes, dass wir für sie in die Innenstadt fahren sollten. Nur um ihr Thermalwasser-Spray umzutauschen. Nicht etwa, weil das Mittel in der Abwehr von freien Radikalen versagte. Nein, bloß deshalb, weil sie uns ärgern wollte. Und wir sagten Ja. Letzte Woche planten wir, uns bei einem luxuriösen Schaumbad Hemingway zu geben. Aber dann wollte die

Gruppe abtrünniger weiblicher Mitglieder unseres Schachclubs mit uns ins Gebirge. Zum Frauenklettern. Um mit Technik und Taktik gegen die geringe Maximalkraft anzukämpfen. Und wir sagten Ja. Gestern war uns nach ein wenig Kulturkritik: Jürgen Habermas oder Naomi Klein. Da jedoch trat unser Mann ins Zimmer und schlug uns sechs Tage Wellnessurlaub vor. In Luang Prabang. Weil man dort vom Pool aus auf diese laotischen Holzhäuser schauen könnte. In letzter Minute ließen wir uns von der Philosophie retten: *Ein aus tiefster Überzeugung gesprochenes Nein ist besser als ein aus bloßer Gefälligkeit dahergesagtes Ja.* Und wir schüttelten, würdevoll wie Mahatma Gandhi selbst, den Kopf.

Mahatma Gandhi (1869–1948), indischer Rechtsanwalt, führte mit seinem Konzept des gewaltfreien Widerstands das Ende der britischen Kolonialherrschaft über Indien herbei. Gewaltlosigkeit beziehungsweise Nicht-Verletzen (»Ahimsa«) ist einer der wichtigsten Begriffe im Hinduismus, Jainismus und Buddhismus. Wenn nicht nur Yoga-Schüler sich in »Ahimsa« übten, wenn jeder im Alltag Gewaltfreiheit praktizieren würde, wäre die Welt längst ein besserer Ort.

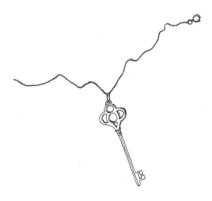

Apropos Anfang

Unser Leben gleicht mehr einem schlängelnden Bachlauf als einem reißenden Strom. Dramatische Wendungen sind selten. Meist transformieren sich die Dinge so still und leise, dass wir überrascht sind, wenn sich der Wandel dann auf einmal vollzogen hat. Wie kann es sein, dass der kleine Junge, den wir noch vor ein paar Jahren auf den Knien schaukelten, uns plötzlich um mehrere Köpfe überragt? Diese Muskelpakete können doch nicht von einer Sekunde zur anderen entstanden sein? Irgendwann müssen sie angefangen haben zu wachsen. So wie es irgendwann angefangen hat, dass wir mehr als einen Freund in unserem Liebsten sahen. Die Konsequenz: Heirat, Hochzeitsfeier erst im kleinen, dann im großen Kreis, ein Kind, zwei Katzen. Jeder Anfang hat per se Folgen. Wir können heute anfangen, Tai Chi zu lernen. Auch wenn wir es im unbewaffneten Nahkampf nicht zur Meisterschaft bringen: Wir könnten uns zu einer aggressiveren Unternehmensstrategie inspiriert fühlen. Unsere Einnahmen könnten die unseres Mannes ganz allmählich übersteigen – und so den Anfang vom Ende der Ehe einleiten. Egal wo wir beginnen, letztlich bleibt uns nichts übrig, als Aristoteles zuzustimmen: *Der Anfang ist die Hälfte des Ganzen.*

Aristoteles (384 v. Chr.–322 v. Chr.) ist neben seinem Lehrer Platon der bedeutendste Philosoph der griechischen Antike. Er unterteilte die Philosophie erstmals systematisch in Einzeldisziplinen: Logik, Psychologie, Ethik u. a. Sein Denken prägt die westliche Welt bis heute. Bestes Beispiel ist Aristoteles' größte Entdeckung auf dem Gebiet der Logik, die absolut wasserfeste Schlussfolgerung – der sogenannte Syllogismus: »Alle Menschen sind sterblich. Sokrates ist ein Mensch. Also ist Sokrates sterblich.«

Apropos Small Talk

Was vergällt Ihnen die Vorfreude auf Cecilia Bartoli? Warum setzen Sie vor der Oper Ihre dunkelste Sonnenbrille auf? Wieso schlüpfen Sie nicht gleich entzückt in Ihre Sonntagsbluse, wenn Sie die Einladung zu einer Vernissage erhalten? Geben Sie es zu. Sie scheuen den Big Talk. Das größte Konversationsverbrechen überhaupt. Ein ununterbrochener Angriff auf die Etikette zwischenmenschlicher Verständigung. Von A wie »An Ihrer Stelle würde ich den Pineau nehmen. Einen Veneto Sprizz kriegen Sie doch an jeder Ecke!« bis W wie »Woher haben Sie denn dieses scharfe Secondhandkleid?

Ach, das ist gar nicht Secondhand?«. Von S wie »Sagen Sie nicht, Sie wissen nicht, was ein Love Bracelet ist!« bis D wie »Die Blonde, wie hieß sie noch, die kürzlich in, wo war das noch, mit äh, Sie wissen schon«. Der Big Talk ist eine Erfindung des Teufels. Tiefsinn und Feingefühl tritt er mit Füßen. Laut, plump und endlos verbreitet er Statements, die die Welt nicht braucht. Von O wie »Ostseewildlachs könnte ich jetzt auch selber garen, aber ich mag den Geruch nicht. Erinnert mich an meinen Ex.« bis V wie »Voltaire? Ach, der algerische Jungdesigner mit der Bio-Kosmetiklinie!«. *Was Rednern an Tiefe fehlt, ersetzen sie durch Länge*, mahnt Michel de Montaigne. Lassen Sie sich nicht verführen. Bleiben Sie beim Small Talk.

Michel de Montaigne (1533–1592), Philosoph, Politiker und Bürgermeister von Bordeaux, ist der Erfinder des literarisch-philosophischen Essays. An seinem Geburtstag 1571 zog er sich von allen Ämtern zurück und verbrachte zehn Jahre isoliert in seinem Turm auf Schloss Montaigne, um über die Welt nachzudenken und seine legendären »Essais« zu schreiben (die er selbst als »zusammenhangloses Flickwerk« bezeichnete). Zu seinen schönsten Texten darin zählt für mich *Über die Erfahrung*.

Apropos Begierde

Seit geraumer Zeit sagt Ihnen Ihr Inneres,
dass Sie zu gut sind. Zu nett. Zu wenig Ihrem Instinkt folgen. Etwas in Ihnen verzehrt
sich danach, etwas sehr Unvernünftiges zu
tun. Und dann kommt der Tag, an dem Ihr
Sehnen den Höhepunkt erreicht hat. Zwei
Uhr nachmittags, Sie sind allein zu Hause.
Sie gehen energisch aus dem Wohnzimmer
in Ihr Arbeitszimmer. Es ist ein geheimnis-
voller Trieb, der Sie in diesen Raum führt.
Wie zufällig blicken Sie auf den Schreib-

tisch. Dort kauern sie: Wange an Wange, als hätten sie Angst vor Ihnen – als ahnten sie, dass Sie etwas Schreckliches tun würden. Sie tragen ein unscheinbares Kleid aus Seidenpapier. Ein vergeblicher Versuch, ihre Existenz zu vertuschen. Mit ebenso ruhigen wie gnadenlosen Händen zerreißen Sie das Seidenpapier und vernichten Ihr Zielobjekt – 250 Gramm delikate, handgefertigte, Gold bestreute Kompositionen von unbeschreiblicher Süße, die ursprünglich Ihrer Schwiegermutter zugedacht waren. *Die Begierde ist das Wesen des Menschen*, fand Baruch de Spinoza. Welch tröstliche Rechtfertigung, denken Sie, während die Kostbarkeiten nacheinander auf Ihre Zunge gleiten … und sich unwiederbringlich in Ihrem Magen auflösen.

Baruch de Spinoza (1632–1677), niederländischer Philosoph jüdisch-sephardischer Herkunft und Zeitgenosse von René Descartes und Gottfried Wilhelm Leibniz, lebte vom Brillenschleifen. Einen Lehrauftrag von der Universität Heidelberg lehnte er ab, weil er fürchtete, seine geistige Unabhängigkeit zu verlieren. Menschliche Freiheit hieß für ihn, unseren Platz in einer von Gott erzeugten Welt einzunehmen, denn, wie er sagte: »Alles, was ist, ist in Gott.«

Apropos schlechtes Gewissen

Wir gönnen uns einen Geldbeutel aus Kalbs-
nappaleder, weil wir so hart arbeiten. Und
haben ein schlechtes Gewissen. Wir geneh-
migen uns hin und wieder eine Tafel Scho-
kolade, weil wir Size-Zero-Tops lächerlich
finden. Und haben ein schlechtes Gewissen.
Wir verlassen unseren Partner, weil er mit
unserem Intelligenzquotienten nicht zurecht-
kommt. Das schlechte Gewissen nagt an uns
wie wild. Wir vertiefen uns in den neuen
John Grisham, weil uns die »Financial

Times« betrübt. Unser schlechtes Gewissen bringt uns fast um. Wir kutschieren die Kinder, kaufen Ökomode, machen Yoga, gehen mit dem Laptop ins Bett, sind 24 Stunden am Tag erreichbar. Wir stemmen Gewichte. Nehmen Kalzium und Magnesium. Wir perfektionieren, optimieren, maximieren. Das schlechte Gewissen raubt uns trotzdem den Atem. Wir sind seine Häftlinge. Warten wir nicht länger auf bessere Haftbedingungen: bessere Belüftung, mehr Ausgang. Wagen wir lieber den Ausbruch. Unserem schlechten Gewissen ist nichts gut genug. Pfeifen wir auf seine unerfüllbaren Ansprüche. Lernen wir lieber von John Locke: *Was dir Sorgen macht, beherrscht dich.* Und gehen wir guten Gewissens unserer Wege.

John Locke (1632–1704) gilt als einer der einflussreichsten englischen Philosophen der Aufklärung und als Vater des Liberalismus. Lockes politische Ideen schlugen sich in der amerikanischen Unabhängigkeitserklärung und Verfassung nieder. Er war der Ansicht, dass die Menschen über Gott gegebene Naturrechte verfügen, darunter Freiheit und Recht auf Eigentum. Falls die Regierung auch nur eines dieser Naturrechte mit Füßen tritt, darf sie laut Locke gestürzt werden.

Apropos Freundinnen

Zeitweise können Sie sehr gut auf männliche Begleitung verzichten. Wenn Sie Parfümerien und Schuhläden plündern, brauchen Sie dazu weder Bass noch Bariton. Sie genießen es, müßig im Café zu sitzen, zu beobachten, sich zu zeigen. Noch größer ist der Genuss, wenn sich Sopran, Mezzosopran und Alt auf Sie einstimmen. Ihre Freundinnen. Diese vielfältig schillernden Wesen, die nicht einzeln, sondern erst im Plural ihre volle Wirkung entfalten. Blond, braun, kupferfarben … Doch nicht wegen ihrer Haarespracht sind Sie mit diesen Frauen befreundet. Sondern? Ist es Kims verständnisvolle Art, mit der sie Ihnen über Ihr besorgniserregendes Horoskop hinweghilft? Eine Mitleidsbekundung ist noch keine Empathie. Ist Jutta Ihre Freundin, weil sie die Vorliebe für Gerichtsdramen mit Ihnen teilt? Eine Gemeinsamkeit ist noch keine Seelenverwandtschaft. Und wie verhält es sich mit Nathalie und ihren großzügigen Geschenken? Ein Shiseido-Lippenstift ist noch kein Treuebeweis. Testen Sie nicht den Lippenstift, prüfen Sie lieber die Qualität der Freundschaft. *Nichts auf Erden lässt sich mit einem echten Freund vergleichen*, sagt Thomas von Aquin. Und mit einer echten Freundin erst recht nicht.

Thomas von Aquin (1225–1274), Zentralfigur der mittelalterlichen Theologie und Philosophie, strebte eine Synthese der aristotelischen Philosophie und der christlichen Lehre an. In seiner bahnbrechenden *Summa theologica* ging es ihm darum, die christliche Lehre auf der Grundlage der Vernunft einleuchtend zu machen. Die große Demut des Hauptvertreters der Scholastik, der seine Schriften bis zu drei Sekretären gleichzeitig diktierte, spricht aus seinen letzten Worten: »Alles, was ich gesagt habe, erscheint mir wie Spreu.«

Apropos Glück

Auf nichts im Leben kann man sich verlassen. Nicht auf den Wetterbericht, nicht auf die Senkung der Leitzinsen. Und erst recht nicht auf das Glück. Glück empfinden wir zum Beispiel, wenn wir von unserem Jüngsten mit einem selbst gebackenen Keks überrascht werden. Oder ein Gedicht von Rilke lesen. Kaum sind wir aber ein wenig glücklich, klingelt das Telefon. Eine strenge Stimme erinnert uns an unsere Pflichten. Und schon stecken wir bis zum Hals in tristen Excel-Tabellen. Wir träumen uns nach Sambia … Warum können wir uns nicht einfach von den Sprühschleiern über den Victoriafällen umhüllen lassen? Warum müssen wir Datenbanken erstellen, deren Nutzen für die Nachwelt fraglich ist? Das höchste Glück ist für uns das, was die meiste Zeit unseres Lebens unmöglich ist. Wie ein Aperitif am Ufer des Sambesi. Wie eine Gastrolle in einem Wim-Wenders-Film. Wie ein Tête-à-tête mit George Clooney … Konzentrieren wir uns lieber auf das Mögliche. Auf das, was wir sind. Keks-Empfängerinnen. Rilke-Versteherinnen. Träumerinnen. *Glück bezieht sich auf den Geist und das Herz*, sagt der Dalai Lama. Diese Weisheit kann durch keine Excel-Kalkulation der Welt widerlegt werden.

Der *14. Dalai Lama* (* 1935) alias Tendzin Gyatsho ist der derzeit höchste Würdenträger des tibetischen Buddhismus. Der Friedensnobelpreisträger lebt seit 1959 – der Zeit des Tibetaufstands – im indischen Exil. Die Bedeutung zentraler buddhistischer Werte wie Mitgefühl, Güte und Altruismus erklärt er in seinem Werk *Die Lehren des tibetischen Buddhismus* (für das Richard Gere, Buddhist und Sponsor des Dalai Lama, das Vorwort geschrieben hat).

Apropos Lügen

Sie sind die Ehrlichkeit in Person. Wahrheit ist Ihr oberstes Prinzip. Nie kämen Sie auf die Idee, Ihre Kollegin für ihr (nicht vorhandenes) modisches Gespür zu loben. Sie verschweigen ihr lediglich die Erkenntnis, dass Leggings nicht unbedingt schlank machen. Schweigen und Lügen sind zwei gänzlich verschiedene Phänomene. Ungefähr so verschieden wie Greta Garbo und Tatjana Gsell … Sie sind nicht nur ehrlich, sondern auch integer. Folglich verzichten Sie darauf, Ihrem Liebsten zu signalisieren, dass er den Wert einer stilvollen Einrichtung auch nur ansatzweise erfasst habe. Wer integer ist, steht zu seinen Äußerungen. Sie sagen: »Schatz, beim Anblick deiner Eichenlamellenimitate ist mir nicht wohl.« Und räumen (während er die Bundesliga schaut) die Wohnung aus. Sie brauchen nicht zu lügen. Schließlich sind Sie Meisterin im Argumentieren. Wenn Ihr Partner klagt: »Die Hocker hatte ich jetzt 20 Jahre!«, ergänzen Sie seine Worte einfach mit ein wenig Logik: »Weshalb es Zeit wurde, sie durch ein paar Loungesessel zu ersetzen!« Lügen ist überflüssig, denn, wie schon Protagoras wusste: *Man kann aus einem schwächeren Argument das stärkere machen.* Ganz leicht.

Protagoras (490 v. Chr.–411 v. Chr.) ist einer der bedeutendsten griechischen Sophisten, die als Wanderlehrer für teils horrende Honorare die Kunst des Redens verbreiteten. Statt durch Argumente zu überzeugen, hielt sich Protagoras – ganz im Gegensatz zu Sokrates – lieber an rhetorische Tricks. Für ihn ist jegliche Erkenntnis in der Subjektivität des Menschen verankert: »Der Mensch ist das Maß aller Dinge.«

Apropos Ungeduld

Drei nach drei. Wir sitzen wartend im Foyer. Aus einer kurzen wird schnell eine lange Weile. Wir gähnen verhalten. Wie zufällig fällt unser Blick auf den Minutenzeiger unserer Armbanduhr. Sieben nach drei. Jetzt sind wir hellwach. Wir verspüren eine langsam sich ausbreitende innere Erregung, eine unangenehme Wärme im Gesicht. 13 nach drei. Unsere frisch manikürten Nägel graben sich in die Armlehnen. Unsere Sandaletten scharren auf dem Terrazzoboden. In unserem Frontalhirn knistert es gefährlich. Wir stecken den erhitzten Kopf in unsere XXL-Tasche und suchen hektisch nach dem Handy. Da, eine Nachricht, ein eingehender Anruf! Ach, nur die Schwägerin … Wir möchten schreien! Nein, möchten wir nicht. Wir schalten das Gerät aus und unsere Vernunft ein. Unser Herzschlag beruhigt sich. Lässig schlagen wir die Beine übereinander. In unserer Sichtachse wandelt, wie wir soeben bemerken, ein nicht unattraktiver Fremder. Unsere Finger entkrampfen sich. Der Duft der Lilien zu unserer Linken ist einfach herrlich. Entspannt sehen wir zu, wie sich unsere Verabredung im Eiltempo auf uns zubewegt … Wie spät ist es eigentlich? 32 nach drei? Erst? *Alles nimmt ein gutes Ende für den, der warten kann,* sagt Leo Tolstoi. Haben wir doch immer schon gewusst.

Leo Tolstoi (1828–1910), dessen Werke zum russischen Realismus zählen, ist einer der bedeutendsten Schriftsteller der Weltliteratur. Sein epischer Roman *Anna Karenina* zählt für mich zu den besten Analysen des menschlichen Wesens überhaupt. Unter dem Einfluss von Jean-Jacques Rousseaus Thesen zu Natur und Gesellschaft verfasste Tolstoi auch einige philosophische Schriften. Nach dem Vorbild Rousseaus richtete er Dorfschulen ein und schrieb Lesebücher, um eine kindgerechte Bildung zu fördern.

Apropos Birthday Party

Es war wieder einmal ein Geburtstag der Superlative. Wir haben uns selbst übertroffen. Die Gäste haben sich glänzend amüsiert. Und wir hart gearbeitet. Den ganzen Abend haben wir uns den Mund fransig geredet. Haben referiert, kommentiert und charmiert, bis unsere Gesichtsmuskulatur schmerzte. Fünf Gänge lang haben wir unserer an Liebeskummer erkrankten Freundin Chablis eingeflößt. Haben serviert und assistiert. Und mit unserem Cousin über

Neurobiologie disputiert. Haben die Meinungsverschiedenheiten zwischen dem Architektenpaar geschlichtet. Und dem tauben Strohwitwer das Herkunftsland der Limetten-Mousse ins Ohr geplärrt (vier Mal!) … Die Party ist nun vorbei, Norah Jones verstummt. In der Küche türmen sich Teller und Töpfe. Vor uns eine Konfusion aus zerknitterten Servietten und leeren Gläsern. Egal. Wir schenken uns den letzten Tropfen Prosecco ein. In drei Stunden müssen wir unser Kind wecken. In fünf Stunden haben wir eine wichtige Präsentation vor lauter wichtigen Kunden. Doch jetzt sind erst einmal wir dran. Wir lassen uns in einen Sessel fallen und denken an Laotse: *Im Nichtstun bleibt nichts ungetan.* Happy Birthday.

Laotse (Laozi) lebte wohl im 4. Jahrhundert v. Chr., vielleicht auch früher. Ob es ihn wirklich gab und ob er das ihm zugeschriebene Werk *Tao Te King* (»Daodejing«) wirklich verfasste, ist umstritten. Bertolt Brecht widmete Laotse eine liebevolle dichterische Legende. Chronisch Gestressten hilft dieser Klassiker des chinesischen Taoismus (Daoismus), Grübelzwänge und Schwarzweißdenken loszuwerden und durch weniger Anstrengung (»wu wei«) – paradoxerweise – mehr zu erreichen.

Apropos gesunde Ernährung

Ihr Magen knurrt gewaltig, und Sie wissen nicht, womit Sie ihn füllen sollen. Hungrig arbeiten Sie sich durch die Speisekarte. Ein saftiges Steak? Was, wenn Sie der Rinderwahn befällt? Ihr Organismus verlangt nach Mineralstoffen und Vitaminen. Wie wäre es mit einem Omelett? Geht gar nicht. Wegen der möglichen Dioxin-Belastung. Also doch lieber ein Salat. Schon sind Sie im Begriff, den Kellner herbeizuschnipsen, da schießt es in Großbuchstaben durch Ihren Kopf: Nitrat. Sie gehen auf Nummer sicher und bestellen ein stilles Wasser. Neidisch schielen Sie auf die Teller der Restaurantgäste. Vitello tonnato, gebeizte Forelle, Crème brûlée …

Welche Gefahren wohl in diesen Köstlichkeiten schlummern, welche Langzeitfolgen sind zu bedenken? Im Geiste spielen Sie alle Möglichkeiten durch: vegetarisch, vegan, Vollwert, Fair Trade, kontrolliert biologisch, bioorganisch. Aber Bio ist leider nicht immer gleich Bio – oder? Nach einer dreiviertel Stunde innerer trophologischer Disputation sind Sie immer noch zu keinem Ergebnis gekommen. Völlig entkräftet schleppen Sie sich aus dem Lokal und wanken zur nächsten Imbissbude. Die Optionen der Nahrungsaufnahme beschränken sich auf Currywurst mit Mayo oder Ketchup. Gott sei Dank. Während Sie herzhaft zubeißen, hören Sie von fern Sokrates rufen: *Wir leben nicht, um zu essen, sondern wir essen, um zu leben.*

Sokrates (469 v. Chr.–399 v. Chr.) ist der griechische Urvater aller abendländischen Philosophen. Alles, was wir von ihm wissen, stammt aus den Werken seines berühmtesten Schülers Platon. Sokrates philosophierte mit jedem, der zuzuhören bereit war, indem er nie selbst eine These vertrat, sondern die Überzeugungen seines Gegenübers durch systematisches ironisches Fragen als falsch entlarvte. Sein einziges positives Bekenntnis war: »Ich weiß, dass ich nichts weiß.«

Apropos Eifersucht

Umgänglich. Sanft. Und unglaublich be-
schränkt. So waren Sie früher. Sie glaubten
an die ewige Liebe. Sie konnten sich nicht
vorstellen, dass man Ihre Selbstlosigkeit
ausnützen würde. Sie dachten, Sie könnten
Sein und Schein auseinanderhalten. Doch
dann hatten Sie einen schrecklichen Verdacht. Nun ist nichts, wie es war. Ihre Arg-
losigkeit ist dahin. Nicht einmal der Gesang
einer Amsel kann Sie beruhigen. Die Idylle
scheint durch und durch trügerisch. Am ganzen Leib bebend, öffnen Sie seinen Kleiderschrank … Jahrelang wähnten Sie sich auf
der Gewinnerseite. Doch gleich werden Sie

erfahren, was es heißt zu verlieren: Ihr Vertrauen, Ihre Illusionen. Egal wie groß Ihr Verlust sein wird, kein Konjunkturprogramm der Welt könnte ihn wettmachen ... Und dann tun Sie es: Sie wühlen in seiner Wäsche. Erst ängstlich, dann systematisch. Tatsächlich, da ist es, eingeklemmt zwischen Seide und Feinripp. Das Corpus Delicti: ein giftgrüner, mit Schleifen versehener Body. Dazu ein rosafarbenes Kärtchen mit Widmung. Wie geschmacklos von ihm! Unvermutet kommt Ihnen Friedrich Schleiermacher in den Sinn: *Eifersucht ist eine Leidenschaft, die mit Eifer sucht, was Leiden schafft ...* Sie lesen die Widmung – und seufzen. Der Bodysuit ist Ihnen zugedacht. Wie rührend er doch ist!

Friedrich Schleiermacher (1768–1834), vielseitiger Theologe, Altphilologe und Philosoph, war aufseiten der Romantiker ein bedeutender Gegner der Aufklärung und der Antipode Georg Friedrich Wilhelm Hegels. Sein Denken kreist um den Begriff des Gefühls. Religion verband er mit dem »Gefühl schlechthinniger Abhängigkeit«, Frömmigkeit war für ihn Offenbarung, Dogma und Kult. Seine Werke wurden kontrovers diskutiert – manche Zeitgenossen verspotteten ihn als »Schleier-Macher«.

Apropos Verzeihen

Niemand ist vollkommen. Am unvollkommensten ist der Mensch montagmorgens. Dann und wann kommt es zu einer Kurzschlussreaktion, und der Homo sapiens macht seinem Namen alle Schande. Diesmal geschieht es genau zu dem Zeitpunkt, als Ihre Assistentin Ihnen den neuen Quartalsbericht überreicht. Es ist der Augenblick, in denen diese angenehme, stets verlässliche, nach Jasmin und Palisanderholz duftende Person mit ihrer feingliedrigen Hand Ihren Schreibtisch streift. Montag, 15 Minuten und eine halbe Sekunde nach zehn. Der Moment, in dem diese gute und überdies mit einem sehr geschmackvollen Tweedjackett bekleidete Seele zu einem Lächeln ansetzt. Sie hören nicht, was sie sagt. In Ihnen braut sich etwas zusammen. Ihre Erregungsleitungen beginnen zu glühen. Die vielen Gedanken in Ihrem Kopf wissen nicht wohin, sie rasen vorwärts und rückwärts. Vom Personalkostencontrolling zum Sonntagsbrunch zu Zielvereinbarungssystemen zur Elternbeiratssitzung. Sie wollen keinen Quartalsbericht, Sie möchten wild werden! Also schreien Sie Ihre Assistentin an. Und schon tut es Ihnen leid. Die Assistentin versteht gar nichts. Und sie muss auch nicht: *Alles verstehen heißt alles verzeihen*, findet Madame de Staël. Eine Entschuldigung kann trotzdem nicht falsch sein.

Germaine de Staël (1766–1817), französische Schriftstellerin, die in ihrem Schloss Coppet am Genfer See die größten Geister Europas empfing, darunter Lord Byron. Sie verpackte ihre aufklärerischen Gedanken in Briefe, Essays, Aphorismen und philosophische Romane. So sehr sie Jean-Jacques Rousseau verehrte, so wenig Verständnis hatte sie für dessen Vorstellung von der »natürlichen« Gebundenheit der Frau ans Haus. Madame de Staël hatte fünf Kinder – davon nur ein einziges von ihrem Mann.

Apropos Schnäppchen

Keine Frage, ein Cocktailkleid steht schon lange auf unserer Wunschliste. Der Nachteil eines Wunsches liegt darin, dass der Zeitpunkt seiner Erfüllung ungewiss ist. Und Ungewissheit können wir nicht ausstehen. Also fangen wir an, die Preise zu vergleichen. Wenn das ersehnte Objekt irgendwo um 20 Prozent günstiger zu haben ist, greifen wir zu. Wenn wir aber eine 70-prozentige Reduktion in Aussicht haben, werden wir von einer Art Fieber erfasst. Unsere Wangen beginnen zu glühen wie die einer frisch verliebten Jungfrau. Unser Eifer, mehr zum Preis von weniger zu ergattern, gleicht einer Sucht. Der Sparsucht. Eine originale Prada-

Bluse, ungetragen, für nur 200 Euro? Her damit. Ein Kostüm aus der aktuellen Herbst-Winter-Kollektion zum Schnäppchenpreis? Verpackung und Versand inklusive? Müssen wir sofort haben … Moment. Ist Sparsucht nicht nur ein anderes Wort für Geiz? Was bringt es, geizig zu sein? Je mehr Geld wir sparen, desto unzufriedener werden wir. Weil wir ja immer noch mehr einsparen könnten. Befreien wir uns von unserem Sparzwang und denken an Georg Wilhelm Friedrich Hegel: *Die Materie hat ihre Substanz außer ihr; der Geist ist das Bei-sich-selbst-Sein.* Ein freier Geist ist wertvoller als das edelste Cocktailkleid. Und sei es noch so reduziert.

Georg Wilhelm Friedrich Hegel (1770–1831), der mit Johann Gottlieb Fichte und Friedrich Wilhelm Schelling das Dreigestirn des deutschen Idealismus bildet, ist der ehrgeizigste und systematischste Denker seit Aristoteles. Für ihn ist die physische Welt eine Manifestation des »Weltgeistes«. Die Dialektik: These (»Sein«) → Antithese (»Nichts«) → Synthese (»Werden«) ist für Hegel das zentrale Verfahren, um die Welt zu erklären. Die Lektüre von Hegel eignet sich für alle, die auch mit Immanuel Kant keine Probleme haben.

Apropos Sehnsucht

Schon mit 17 sehnen wir uns danach, dazu-
zugehören. Zum erlesenen Kreis der Glücklichen, die die Antwort auf die Frage nach
dem Sinn des Lebens gefunden haben. Mit
23 lesen wir Camus und mühen uns mit den
Vorsokratikern ab, während unsere falten-
lose Stirn vor Aufregung Wellen schlägt.
Zwischendurch erwerben wir den Führer-
schein, reisen in den Süden und verlassen
unseren Freund. Die Jahre vergehen. Wir
erledigen Büroarbeiten, sparen auf ein Auto
und verlieben uns neu. Unser Leben läuft

wie am Schnürchen, doch unsere Sehnsucht wird nicht kleiner. Wir erklimmen die Karriereleiter und heiraten, und noch immer gehören wir nicht zur Elite. Noch immer wissen wir nicht, worin der Sinn des Lebens wirklich besteht. Doch wir geben nicht auf. Wieder vergeht ein bisschen Zeit. Wir werden Mütter. Wir verschönern unseren Garten und beginnen zu malen. Während unsere Kinder heranwachsen, bemerken wir an ihnen ein Stirnrunzeln, das uns seltsam bekannt vorkommt. Und dann geschieht es. Plötzlich stolpern wir über einen Satz von Ernst Bloch: *Die Sehnsucht scheint mir die einzige ehrliche Eigenschaft des Menschen.* Jetzt ist uns klar: Es geht im Leben gar nicht darum, die letzten Dinge zu verstehen. Es geht darum, sein Sehnen nicht zu verlieren.

Ernst Bloch (1885–1977), jüdischer Philosoph, wollte die Philosophie des deutschen Idealismus mit dem utopischen Gehalt des Marx'schen Denkens verbinden. Worauf es laut Bloch ankommt, ist der noch nicht verwirklichte Tagtraum, die noch nicht eingelöste Hoffnung. Entsprechend lautet der – zum geflügelten Wort gewordene – Titel seines Hauptwerks *Das Prinzip Hoffnung.*

Apropos Schenken

Das Schenken zählt zu den kompliziertesten
Bräuchen überhaupt. Oft bereitet ein Ge-
schenk nicht Freude, sondern Kopfschmer-
zen. Angenommen, wir haben Geburtstag.
Von Udo bekommen wir den neuen Martin
Suter. Von Maja das übliche Last-Minute-
Geschenk, diesmal einen Pashmina-Schal
mit Preisetikett. Herr von Rotschwanz nebst
Ehefrau überreicht uns eine Schachtel Edel-
pralinen. Und Marie? Karten für eine Doni-

zetti-Oper – mit Edita Gruberova! Kaum haben wir uns ein wenig gefreut, ziehen wir Bilanz: Den Suter hätten wir uns sowieso gekauft, Pashminas tragen wir schon lange keine mehr, und Pralinen machen dick. Das größte Problem aber stellen die Opernkarten dar. Was sind wir Marie jetzt schuldig? Wie können wir ihr unsere Dankbarkeit beweisen? Müssen wir sie zu den Salzburger Festspielen ausführen? Sollen wir eine Privataudienz bei der Netrebko für sie buchen? Wir sind fast ein wenig böse auf Marie. Was hat sie sich eigentlich dabei gedacht, uns derart zu beschenken! Warum konnte sie es nicht bei einer CD belassen! Plutarch rät: *Der Weise sieht bei einer Gabe auf die Gesinnung des Gebers, nicht auf den Wert der Gabe.* Entspannen wir uns. Nehmen wir einfach an, was uns mit Liebe geschenkt wurde.

Plutarch (ca. 45–125), griechischer Geschichtsschreiber und Philosoph, war einer der produktivsten Schriftsteller der Antike. Er verfasste wohl an die 250 Werke, davon ungefähr die Hälfte philosophischen Inhalts: die *Moralia*. Zu diesen zählen Texte unterschiedlichster Thematik wie *Die Tugend der Frauen, Warum man es zu vermeiden hat, von anderen Geld zu leihen* oder *Über das Fleischessen.*

Apropos Hypochonder

Er braucht gar nichts zu sagen. Sie sehen es schon an seinem gramgebeugten Blick. Es ist wieder einmal so weit. Vorsichtig betastet er seinen Oberbauch. Jedes Mal, wenn er den Druck seiner Finger auf die Bauchdecke erhöht, zuckt er zusammen. Sie reagieren nicht. Er zuckt noch heftiger. Sie gehen in ein anderes Zimmer und verstecken sich hinter Emily Brontës *Sturmhöhe*. Er schleicht Ihnen hinterher, leicht hinkend. Anscheinend sind auch seine Gliedmaßen von der tödlichen Krankheit betroffen. Röchelnd sinkt er neben Ihnen aufs Sofa. »Kehlkopfkrebs?«, fragen Sie scheinheilig. »Nein, es muss die Bauchspeicheldrüse sein.« – »Mehr ein stechender oder ein dumpfer Schmerz?«, fragen Sie genervt weiter. »Beides!« Schon hat er das *Klinische Wörterbuch* aus dem Regal gezerrt und blättert mit zitternden Händen darin herum. Ob Sie wüssten, dass man von Bauchspeicheldrüsenkrebs Diabetes bekäme? Ob Sie nicht auch fänden, dass er in letzter Zeit gefährlich viel an Gewicht verloren habe? Fast tut er Ihnen leid. Doch Ihr Egoismus gewinnt die Oberhand, und Sie gehen erst einmal eine Runde shoppen. Hätten Sie nur nicht einen Intellektuellen geheiratet! Denn, wie schon Oswald Spengler erkannte: *Je wissender der Mensch, desto tiefer sein seelisches Leid.*

Oswald Spengler (1880–1936), Geschichtsphilosoph und Kulturhistoriker, erlangte mit seinem heftig diskutierten monumentalen Hauptwerk *Der Untergang des Abendlandes* Berühmtheit. Spengler wagte eine »Philosophie des Schicksals«, nach der die gegenwärtige Zivilisationsphase der westlichen Kultur gleichbedeutend mit ihrer Endphase sei. Seiner Meinung nach haben Hochkulturen stets eine Lebensdauer von einem Jahrtausend und zeigen einen den Jahreszeiten entsprechenden Verlauf.

Apropos Missverständnisse

Ein grauer Dienstagnachmittag. Sie träumen davon, sich auf einem Sofa einzurollen und die nächste Stunde zu verschlafen. Die Vorstellung vom unkontrollierten Wachstum der Aktenberge auf Ihrem Schreibtisch verursacht Ihnen Kopfschmerzen. Da übernimmt Ihr Großhirn, die zentrale Schaltstelle des Gehirns, das Kommando und lotst Sie zum nächsten Coffee-Shop. Ergeben reihen Sie sich ein in die Schlange der Durstigen. »Espresso«, verlangen Sie. »Decaf?« – »Nein, Espresso«, wiederholen Sie. »Latte oder Cappuccino?« – »Einen einfachen Espres-

72

so!« Der hübsche Dunkelhäutige hinter der Theke hebt die wohlgeformten Brauen und sieht Ihnen tief in die Augen: »Large?«, fragt er sanft. »Oder Medium?« Sie zeigen Haltung. Würdevoll lassen Sie Ihre Handtasche zu Boden gleiten und beginnen, mit anschaulichen Gesten die Adjektive »klein« und »schwarz« zu umschreiben. Die wohlgeformten Brauen wandern bis zum Haaransatz: »Brombeer Flavoured? Hot oder Iced?« Sie ziehen Ihre Trumpfkarte: Ludwig Wittgenstein. *Es ist eine Hauptquelle unseres Unverständnisses, dass wir den Gebrauch unserer Wörter nicht übersehen*, erklären Sie dem Fassungslosen. »Alles klar«, sagt der. Und überreicht Ihnen … einen Caramel Macchiato.

Ludwig Wittgenstein (1889–1951) ist der revolutionäre Begründer der modernen sprachanalytischen Philosophie. Er trat an, um die Verwirrung unseres Denkens und Sprechens mit logischer Klarheit zu beseitigen. Aber er sah auch die Grenzen dieses ehrgeizigen Projekts: »Worüber man nicht sprechen kann, darüber muss man schweigen.« Wittgenstein, eine mindestens genauso widersprüchliche Persönlichkeit wie Andy Warhol, ist einer meiner Lieblingsphilosophen.

Apropos Gelassenheit

Am Montag erklärt Ihnen Ihr Chef, dass Ihr Ressort aufgelöst wird. Mit anderen Worten: Sie sind entlassen. Sie ringen um Fassung und sehen sich weinend ums Arbeitsamt schleichen. Am Dienstag ruft ein alter Schulfreund an und bietet Ihnen eine Top-Position in seiner Firma an. Sie stellen schon einmal den Champagner kühl. Am Mittwoch beeinträchtigt die Euphorie Ihr Erinnerungsvermögen. Auf dem Weg zum Briefkasten übersehen Sie zwei Treppenstufen und brechen sich den linken großen Zeh. Schluchzend und mit den düstersten Gedanken an die Ungerechtigkeit des Schicksals lassen Sie sich ins Krankenhaus abtransportieren. Am Donnerstag kündigt Ihre schreckliche Cousine einen Überraschungsbesuch an. Ihre Freude darüber, den Gast aus gesundheitlichen Gründen abweisen zu müssen, kennt keine Grenzen. Am Freitag werden Sie aus Ihrer königlichen Isolation gerissen und in ein Zweibettzimmer verfrachtet. Wutentbrannt legen Sie bei Ihrer Krankenkasse Beschwerde ein. Aber wer ist Ihre Zimmernachbarin? Schauspiellegende Hannelore Elsner! Kurz bevor Sie vor Aufregung dunkelrot werden, kommt Ihnen Heraklit in den Sinn: *Alles fließt*. Und gelassen warten Sie darauf, was der Rest der Woche noch bringen möge.

Heraklit (ca. 520 v. Chr.–460 v. Chr.), genannt »Der Dunkle«, hinterließ nur wenige, oft rätselhafte Fragmente voller paradoxer Formulierungen. Er sah das Wesen der Welt in ihrer kontinuierlichen Veränderung, in der dauernden Spannung von Gegensätzen, im ständigen Umschlag der Dinge in ihr Gegenteil (Nacht – Tag, warm – kalt, Leben – Tod). Sein Denken fand Eingang in Georg Wilhelm Friedrich Hegels Dialektik und inspirierte Friedrich Nietzsche und Martin Heidegger.

Apropos Reisen

Sie haben zwei Wochen frei und wissen nicht wohin? Thalasso in Tunesien, Ayurveda in Angkor? Schon wieder auf die Massageliege, schon wieder nur entspannen? Oh nein, diesmal verlassen Sie die Komfortzone und erobern die Welt. Sie schließen die Augen, lassen Ihren Zeigefinger im Blindflug über den Atlas kreisen und pfeilgenau in der mongolischen Steppe landen. Warum nicht zur Abwechslung einmal in einer Jurte übernachten, mit Nomaden Stutenmilch trinken? Und testen, ob sich der Samsonite-

Koffer auch für eine Wanderung durch unendliche Weiten eignet? Oder wie wäre es mit Jordanien? Sie könnten ein wenig angewandte Archäologie betreiben und auf einem Grabungshügel im Wadi al-Arab Scherben aus der Bronzezeit freilegen. Oder Sie wagen sich direkt in den Dschungel von Laos. Denn Sie werden nie wissen, wie es ist, auf einer Seilwinde zu einem Baumhaus zu schweben und den Urwaldgeräuschen zu lauschen, wenn Sie es nicht selbst ausprobieren. Zur geistigen Befreiung braucht es nicht viel: eine Stirnlampe, ein Taschenmesser … Jetzt oder nie, sagen Sie sich und nehmen sich ein Beispiel an Alexander von Humboldt: *Die gefährlichste Weltanschauung ist die Weltanschauung derer, die sich nie die Welt angeschaut haben.*

Alexander von Humboldt (1769–1859), Naturforscher, unternahm Expeditionsreisen nach Lateinamerika, Nordamerika und nach Zentralasien. »Alles, was wir heute von den Erscheinungen der Himmelsräume und des Erdenlebens … wissen«, wollte er in seinem fünfbändigen Werk *Kosmos* erfassen. Seine universalistische Ausrichtung teilte er mit seinem Bruder Wilhelm, dem Bildungsreformer, der für die Einheit von Forschung und Lehre eintrat.

Apropos Vorfreude

Wann haben Sie sich das letzte Mal grund-
los gefreut? Sie erinnern sich nicht? Vermutlich besitzen Sie einen scharfsichtigen
analytischen Verstand, der keine Wirkung
ohne Ursache gelten lässt. Deshalb wissen
Sie jedes Mal, wenn Sie sich freuen, sofort
auch, warum Sie es tun. Die Gründe Ihrer
Freude sind so zahlreich wie die Facetten
Ihrer Persönlichkeit. Freudig stimmt Sie
zum Beispiel die Betrachtung des unerlaubt
makellosen Modelgotts Baptiste Giabiconi.
Weil Sie eine Ästhetin sind. Freude empfinden Sie ebenso bei einem Vertragsabschluss,

dem zähe Verhandlungen vorausgingen. Weil Sie eine Gewinnerin sind. Auch die Stille, der Regen oder ein Pfauenauge können freudvolle Gefühle in Ihnen verursachen. Weil Sie ein Naturmensch sind. Sie scheuen sich nicht, Ihre Freude zu zeigen. Nur mit der Vorfreude auf ein glückliches Ereignis halten Sie sich etwas zurück. Es könnte ja sein, dass sie unbegründet ist. Dass das erwartete Glück überhaupt nicht eintritt oder sich später als Unglück herausstellt. Na und? *Nun weiß ich nicht, ob das, was die Welt für Glück hält, tatsächlich Glück ist oder nicht*, sagt Dschuang Dsi. Logische Analyse hilft da nicht weiter. Also haben Sie doch Grund zur grundlosen Freude – zur Vorfreude.

Dschuang Dsi (Zhuangzi) (ca. 370 v. Chr.–300 v. Chr.) ist neben Laotse (Laozi) der wichtigste Repräsentant des klassischen chinesischen Taoismus (Daoismus). Sein *Wahres Buch vom südlichen Blütenland* ist kein asiatischer Kitsch, sondern eine Sammlung kurioser Geschichten, die die Absurdität logischer und gesellschaftlicher Konventionen deutlich machen. Die Lektüre dieses Werks, das zu den tiefsinnigsten und fantasiereichsten der chinesischen Literatur zählt, lohnt sich besonders für krankhafte Perfektionisten.

Apropos Komplimente

Nichts braucht diese Welt mehr als ein paar lobende Worte. Doch ist es nicht immer leicht, einen Empfänger dafür zu finden. Nehmen wir an, Sie kommen von einer Geschäftsreise aus Shanghai zurück. Nach zwei Wochen intensiver bilingualer Meetings und kollektivem Dauerlächeln öffnen Sie die Tür zu Ihrem Apartment. Sie stellen Ihre Koffer ab und schütteln im Stehen erst den rechten, dann den linken Fuß, um sich von Ihren Pumps zu befreien. Wie immer nach Ihrer Rückkehr gilt Ihr erster Blick dem Schildfarn, den Sie diesmal in Obhut Ihrer Nachbarin gaben. Begeistert, dass der Farn weder ersoffen noch vertrocknet ist, bekunden Sie Ihre Freude durch ein großes Kompliment. Die Nachbarin reagiert mit Zurückhaltung und wartet erst einmal ab, was Sie noch zu sagen haben. Wie es aussieht, ist sie kurz davor, ins Theater zu gehen. Sie sieht phänomenal gut aus in ihrem nachtblauen Cape. Sie können nicht anders – Sie müssen ihr einfach noch ein Kompliment machen. Für ihre Raffinesse, das Cape mit einer ledernen Röhrenjeans zu kombinieren. Dann stellen Sie knapp, aber pointiert klar, dass Sie zu diesem Outfit einen dezenteren Lidstrich besser gefunden hätten. *Das Süße mit dem Sauern abwechseln lassen,* riet schon Baltasar Gracián. Die Nachbarin dankt es Ihnen mit einem Lächeln.

Baltasar Gracián (1601–1658), spanischer Schriftsteller und Jesuit, empfahl bei allem Denken und Handeln »Geistes-Gegenwart«. Seine Predigten waren für seine Vorgesetzten oft ein Ärgernis, etwa dann, wenn er zum Beispiel aus einem Brief vorlas, der angeblich direkt aus der Hölle stammte. Gracián veröffentlicht seine ebenso originellen wie provokanten Aphorismen in dem der Kirche suspekten *Handorakel*, einem der berühmtesten Lebensratgeber der Weltliteratur. Arthur Schopenhauer persönlich übersetzte es ins Deutsche.

Apropos Schwächen

Wir zählen eindeutig zum starken Geschlecht.
Denn wir haben einen starken Willen. Den
Willen, nicht zu wollen, was wir nicht brauchen: bloß keine Kohlenhydrate. Laugenge-
bäck? Lassen wir hoch erhobenen Hauptes
an uns vorüberziehen. Doch kaum steigt uns
der Geruch einer ofenfrischen Parisienne in
die Nase, schmilzt unsere Willenskraft wie
das Eis der Polarkappen. Ansonsten sind wir
wirklich hart im Nehmen. Wir akzeptieren,
dass es die schicken Stiefel nicht in unserer
Größe gibt. Wir nehmen es hin, dass die ost-
asiatischen Märkte das alte Europa aufmi-
schen. Und wenn unser Kind mit 17 die
Koffer packt, winken wir ihm fröhlich hin-

terher. Anschließend werfen wir uns auf die Couch und heulen wie ein Schlosshund. Nur ausnahmsweise, versteht sich. Wir sind fest entschlossen, das *Handelsblatt* zu unserer Pflichtlektüre zu machen. Doch dann entdecken wir *Sie* von Stephen King in der Schreibtischschublade. Nur eine Seite … Und wieder wird unsere Willenskraft von einer merkwürdigen Schwäche erfasst … Nur noch ein Kapitel. Wieder gewinnt das Menschliche überhand über unsere festen Vorsätze. *Vollkommene Menschen sind so selten wie vollkommene Zahlen,* versichert René Descartes. Das Unvollkommenste ist immer auch das Menschlichste – ein Hoch auf unsere Schwächen!

René Descartes (1596–1650) ist der Vater der modernen Philosophie. Sein methodischer Ausgangspunkt war der absolute Zweifel. Der Franzose stellte alles infrage, auch die Wirklichkeit von Geist und Körper, von Vernunft und Natur. Die Tatsache, dass es etwas geben müsse, das diese Zweifel äußerte, war das Einzige, was er nicht bezweifeln konnte. So bewies er, dass immerhin sein Denken wirklich sein müsse: »Cogito ergo sum« (»Ich denke, also bin ich«) – oder anders formuliert: »Ich bin ein denkendes Etwas.«

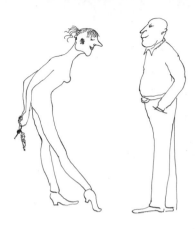

Apropos Schüchternheit

Sie zählen nicht zu den zögerlichen Frauen.
Sie fahren einen BMW und brauchen keine
Extraeinladung zum Überholen. Wenn Ihr
Haar Spliss aufweist, verplempern Sie Ihre
Zeit nicht mit aufwendigen Kuren. Sie
schneiden ab und tönen neu. Darin stehen
Sie der legendären Madonna in nichts nach:
Wo platinblond war, soll schwarz sein. Auch
sonst sind Sie nicht gerade der verspielte
Typ, der in Chiffonblusen feengleich Kaffee
serviert. Sie stehen auf Leder. Wenn man
Sie auf einer Party nach Kochrezepten fragt,
amüsiert Sie das königlich. Ihre Kompeten-

zen liegen woanders. Sie sind eine Meisterin des Small Talks. Nach zwei, drei Sätzen frisst Ihnen Ihr Gegenüber aus der Hand und vermittelt Ihnen Kontakte zum Bundeskanzleramt oder was Sie sonst gerade brauchen. Sie können die besten Konditionen unter den schwierigsten Bedingungen aushandeln, aber wenn Ihnen Ihr Nachbar aus dem dritten Stock über den Weg läuft, werden Sie knallrot. Sie spielen verlegen mit Ihrem Autoschlüssel und senken den Blick wie ein Schulmädchen. Er ist verheiratet, und Sie sind es auch. Welchen Grund kann es für Ihr Verhalten geben? Sie suchen Rat bei Erasmus von Rotterdam. *Intelligenz macht schüchtern*, meint er. Ach so.

Erasmus von Rotterdam (1465–1536), weit gereister niederländischer Wanderlehrer, Theologe und Philosoph, war in seiner Wissensbreite für seine Zeitgenossen der unerreichte König der Humanisten. Seine geistige Freiheit war für ihn das höchste Gut. Zwar bot man ihm im Lauf der Zeit immer wieder ehrenvolle akademische Ämter an, er aber lebte lieber das karge, dafür aber enorm produktive Leben eines freien Schriftstellers. Lohnend für alle Freigeister ist seine ironisch-zeitkritische Satire *Das Lob der Torheit* – über die Dummheit und Eitelkeit der Welt.

Apropos Kunst

Wir Karrierefrauen sind ständig auf Achse.
Man findet uns auf Flughäfen, in Zügen, auf
Transitstrecken. Wir sitzen E-Mail-lesend in
Wartebereichen, fahren Rolltreppen auf und
ab, eilen durch zugige Durchgänge, steigen
in Shuttle-Busse. Überall die gleichen grauen
akkurat gebügelten Anzüge, die gleichen Gel-
frisuren, BlackBerrys, das gleiche gedämpfte
Lachen. Überall die gleiche Anonymität
glatter Steinfassaden und porentief gerei-
nigter Hotelzimmer. Keine Überraschun-
gen, nirgends. Nichts, was das Wechselspiel
von Meetings, Briefings, Get-Togethers stö-
ren wurde. Noch eine Konferenz, noch ein
Coaching, wieder ein Tag vorbei. Moment.

Wo sind wir gerade? Paris? Wie spät ist es eigentlich? Das Musée d'Orsay ist gleich um die Ecke. Hier finden wir, wonach unsere Seele dürstet. Zehn Minuten vor Édouard Manets »Frühstück im Grünen« – und die Welt um uns steht still. Keine Flugzeugturbinen, kein Handyklingeln. Weiter zu Georges Seurat. Pointillismus statt Power-Point. Noch einen Blick auf Edgar Degas, Paul Cézanne und Gustave Courbet. Wir treten auf die Straße. Die Stadt scheint uns wie verwandelt. Plötzlich ist alles bunt, anregend, aufregend. Das vielsprachige Stimmengewirr – Musik in unseren Ohren. Friedrich Nietzsche wusste es schon immer: *Die Kunst und nichts als die Kunst! Sie ist die große Ermöglicherin des Lebens, die große Verführerin zum Leben.*

Friedrich Nietzsche (1844–1900) gilt neben Sigmund Freud und Karl Marx als einer der wichtigsten Wegbereiter der philosophischen und literarischen Moderne. Für alle Fans sprachgewaltiger Kulturkritik, alle Kunstliebhaber und Nonkonformisten sind seine poetisch-bissigen Schriften auch heute noch – heute erst recht! – ein Hochgenuss. Ich empfehle die *Fröhliche Wissenschaft* als Lektüre auf dem Weg zur Arbeit.

Apropos Genie

Kein Lebewesen ist so rätselhaft wie der Mensch. Alle Tiere sind zufrieden mit dem, was die Natur ihnen gegeben hat – nur wir nicht. Der männliche Mondkäfer trägt ein Horn auf der Stirn und in der Mitte seines Brustschilds Höcker mit doppelter Kerbung. Er fragt sich nicht, warum. Wir dagegen finden uns mit unserer naturgemäßen Ausstattung nicht so leicht ab. Wir wollen das Übernatürliche. Einen Körper wie Beyoncé Knowles und ein Hirn wie Albert Einstein. Wenn uns dämmert, dass wir dieses Ziel in diesem Leben wohl nicht mehr erreichen, übertragen wir unseren Ehrgeiz auf unseren

Nachwuchs. Sobald das Kind da ist, suchen wir in all seinen Regungen Hinweise auf das Extraordinäre. Wir fördern es mit Basketball-Trainings und Dreiviertel-Geigen. Wir schmuggeln Klaviermusik von Arthur Rubinstein auf sein iPod. Wenn es einen verdeckten Hinweis auf eine potenziell ausbaufähige Frankophilie gibt, schenken wir ihm Jean-Paul Sartres *Zeit der Reife* im Original. Irgendwann können wir nicht mehr verhehlen, dass nur die Normalität des Kindes herausragend ist. Wir sind erleichtert. Sind Genies nicht tatsächlich furchtbar einsam? Völlig okay, wenn sich das Kind selbst als unbegabt outet – denn, wie Georg Christoph Lichtenberg konstatiert: *Der Mensch ist verloren, der sich früh für ein Genie hält.*

Georg Christoph Lichtenberg (1742–1799) war Naturwissenschaftler, Philosoph und Satiriker. Der kleine und bucklige Erfinder der Experimentalphysik zählte zu den am meisten bewunderten Persönlichkeiten Europas. Zu Kant, Goethe und anderen Genies hatte er gute Beziehungen. Nietzsche und Wittgenstein liebten seine posthum veröffentlichten *Sudelbücher*, in denen er freche Bemerkungen verewigte wie: »Wenn ein Buch und ein Kopf zusammenstoßen und es klingt hohl, ist das allemal im Buch?«

Apropos Zweifel

Er taucht immer dann auf, wenn Sie ihn am wenigsten brauchen können. Er verfolgt und belästigt Sie, wann immer Sie glauben, Sie könnten ohne ihn auskommen. An der Tankstelle, vor dem digitalen Reifenluftdruckmessgerät. Wenn Sie sich gerade daranmachen, die Ventilkappen abzuschrauben und zeitgleich eine wichtige E-Mail zu beantworten. Oder auf Ihrem Balkon, während Sie im Begriff sind, sich die letzte Zigarette Ihres Lebens anzuzünden. Er schlüpft in Ihr Gehirn und zwingt Sie, die alltäglichsten

Dinge infrage zu stellen: Was ist eigentlich der tiefere Sinn des Multitasking? Oder: Habe ich wirklich triftige Gründe, zur Nichtraucherin zu konvertieren? Hat sich der Zweifel einmal in Ihnen eingenistet, lässt er sich ungern wieder vertreiben. Es macht ihm Spaß, Ihnen immer neue Rätsel aufzugeben. Hätte ich damals nicht lieber doch Ethnologie studieren sollen statt BWL? Wenn der Zweifel an allem nagt, an Ihrer Studienwahl, an der Effizienz Ihres internetfähigen Handys, an der Zweckmäßigkeit des Nichtrauchens, was ist dann überhaupt noch gewiss? *Mag einer auch zweifeln, über was er will, über diese Zweifel selbst kann er nicht zweifeln,* sagt Augustinus. Wie beruhigend.

Augustinus (354–430) war der größte Denker des frühen Christentums am Ende der Spätantike, der einflussreichste Kirchenlehrer aller Zeiten. In seinen autobiografischen *Bekenntnissen* schildert er seine sündige Jugend, seine Glaubenssuche und wie er im Christentum die Quelle jeder philosophischen Wahrheit fand. Zu seinen interessantesten Texten darin zählen für mich die Überlegungen zum Problem der Zeit: »Wir sollten also nicht sagen: ›Die Zeit war lang‹; denn wir werden nichts an ihr finden, was lang war, da sie ja, seitdem sie vergangen, nicht mehr ist.«

Apropos Rache

Oberflächlich betrachtet ist gegen Ihren Chef nichts einzuwenden. Er ist unkompliziert, sieht gut aus und erzählt nicht allzu viele Witze. Sein Rasierwasser duftet dezent. Wenigstens einmal pro Quartal lobt er Ihre außerordentlichen Kompetenzen. Hin und wieder kommt ihm sogar Ihre Frage nach der fälligen Gehaltserhöhung in den Sinn. Und er ist sehr tierlieb. Sein Rottweiler liegt ihm bei jedem Meeting zu Füßen und knurrt. Ganz reizend. Wirklich, an Ihrem Chef gäbe es nichts auszusetzen. Würde er Sie aufgrund seiner Unentschlossenheit nur nicht täglich zu Überstunden zwingen.

Während er Stunden braucht, um eine einzige Entscheidung zu treffen, verbringen Sie, die Hände zu Fäusten geballt, Stunden damit, auf Rache zu sinnen. Ihn mit einem Karate-Würgegriff zu Boden strecken … seinen Rottweiler vergiften … ihn zusammen mit dem Rottweiler in den Ruheraum einschließen und den Schlüssel verstecken … Moment. Spüren Sie, wie Ihre Halsschlagader pulsiert, wie Ihr Blutdruck steigt? Lassen Sie sich nicht von niederen Instinkten unterjochen. *Die beste Art der Rache besteht darin, darauf zu verzichten, Gleiches mit Gleichem zu vergelten*, rät Marc Aurel. Zahlen Sie es Ihrem Chef lieber mit Gelassenheit heim – reichen Sie ganz gelassen die Kündigung ein.

Marc Aurel (121–169), römischer Kaiser-Philosoph, ist der berühmteste und zugleich letzte Vertreter der stoischen Lebenskunstschule. Seine *Selbstbetrachtungen* sind einer der größten philosophischen Weltbestseller überhaupt. Ursprünglich gar nicht zur Veröffentlichung vorgesehen, ist der Text als innerer Dialog mit sich selbst gedacht – eine Form der Meditation. Ich empfehle Marc Aurel allen Gestressten (von der Managerin bis zum Hausmann), denen der innere Halt abhandengekommen ist.

Apropos Muße

Die ganze Zeit über haben Sie nur einen einzigen Wunsch. Morgens im Berufsverkehr, mittags während der Telefonkonferenz und nachmittags auf dem Weg zum Kinderballett. Und abends, kurz bevor Sie schwer wie ein Stein ins Bett fallen. Sie wünschen sich mehr Muße. Sie wollen Wolkenformationen studieren, statt Datenströme zu verwalten. Sie möchten an einem Dienstag aufs Land fahren und glücklichen Kühen beim Grasen zusehen. Aber wenn es dann plötzlich so weit ist, sind Sie nicht vorbereitet. Wenn die Muße völlig unangekündigt bei Ihnen anklopft, wissen Sie nichts mit ihr anzufangen. Darauf konditioniert, mit dem einen Auge die Börsenkurse zu überwachen und mit dem anderen die Kinder, stehen Sie fassungslos vor der terminlichen Leere. Sie flattern aufgeregt hin und her und machen sich Vorwürfe wegen Ihrer Ineffizienz. Statt dass Sie sich auf Ihrem Kissen ausstrecken und die Gedanken tanzen lassen, verkrampfen Sie sich. Sie springen auf und säubern das Silberbesteck. Sie sortieren das Kinderzimmer von A bis Z und hängen die Gardinen ab. Bis die Muße kopfschüttelnd abgezogen ist, haben Sie den Haushalt komplett generalüberholt und Ihre Kundendateien ausgemistet. Das nächste Mal holen Sie sich die Lizenz zum Rasten von Thomas Hobbes: *Die Muße ist die Mutter der Philosophie.* Und atmen Sie einmal tief durch.

Thomas Hobbes (1588–1679) ist mit seinem Hauptwerk *Leviathan* der wichtigste politische Denker Englands. Seiner Ansicht nach ist der Mensch von Natur aus selbstsüchtig und machtgierig. Um einen Krieg aller gegen alle zu vermeiden, plädiert er für einen Gesellschaftsvertrag, durch den alle Gewalt auf einen souveränen Herrscher übertragen wird. Ein friedliches Miteinander ist nach Hobbes nur durch die zwangsweise Unterwerfung des Menschen unter ein absolutes Gesetz möglich.

Apropos Hochmut

Der Hochmut ist der König unter den Eitel-
keiten. Überall zeigt er sein selbstgefälliges
Lächeln, allerorts bläst er sich auf und verbreitet heiße Luft. Neulich in Rom, in einer
Edelboutique. Wir wollen nichts als diese
schöne handgeflochtene, butterweiche Le-
dertasche begutachten. Keine zwei Minuten. Schon hat sich der Hochmut den Verkäufer geschnappt. Schon werden wir von
einem Blick gestreift, der uns wider bes-
seres Wissen jeglichen Sachverstand ab-
spricht. Oder kürzlich in Berlin-Charlotten-

burg, im verstecktesten Lokal der Welt. Wir haben nichts als einen entspannten Abend im Sinn. Schon drängt sich der Hochmut zwischen uns. Zwischen Hauptgang und Dessert nimmt der Hochmut, dieser ungebetene Gast, von unserem Tischnachbarn Besitz. Schon müssen wir uns die letzte Wahrheit über den Nahostkonflikt, die Inflationsspirale und den demografischen Wandel anhören. Schon müssen wir uns behandeln lassen, als sei unsere Meinung nicht mehr wert als die Modekollektionen der letzten Saison. Der Hochmut kennt kein Mittelmaß und ist hochgradig ansteckend. Angelus Silesius bringt es auf den Punkt: *Mensch, ist was Guts in dir, so maße dichs nicht an; sobald du dirs schreibst zu, so ist* der Fall *getan.*

Angelus Silesius (1624–1677), alias Johannes Scheffler, war ein deutscher Lyriker und Arzt. Seine Gedichtsammlungen wie die *Geistreichen Sinn- und Schlussreime* sind der Höhepunkt der mystischen Barockdichtung. Nach seiner Konversion zum Katholizismus fühlte er sich zunehmend als Glaubensstreiter. Er attackierte die Protestanten mit polemischen Schriften, durch die er sich viele Feinde machte.

Apropos Menschenkenntnis

Unser sprachlicher Ausdruck ist geschliffen wie ein Brillant. Mehrdeutige Formulierungen wie »mal sehen« haben wir seit 20 Jahren nicht mehr gebraucht. Nie würden wir eine Hypothese als ein Argument verkaufen. Unser Umgang mit Worten ist achtsam und überlegt. Wenn wir »Ja« sagen, dann meinen wir nicht »vielleicht«. Was man von unseren Mitmenschen leider nicht immer behaupten kann. Wenn jemand in unser Leben tritt und verspricht: »Ich kümmere mich darum«, sind wir nicht allzu euphorisch. Denn wir wissen, dass zwischen Sagen und Tun oft eine Schlucht liegt, so tief wie der Grand Canyon. Bis jemand tut, was er sagt, könnten wir circa drei Mal die Lippenstiftfarbe gewechselt, einen neuen Fitnesstrainer engagiert und wieder entlassen und Grundkenntnisse in Swahili erworben haben. Wir machen uns nichts vor. Wenn jemand versucht, uns mit einem »möglicherweise« oder »nicht ausgeschlossen« zu gewinnen, sind wir längst über alle Berge. Dagegen entlockt uns ein schnörkelloses, mit Nachdruck gesprochenes »Danke« sogleich ein freudiges Lächeln. Denn wir haben Konfuzius gelesen und gelernt: *Wer nicht Worte richtig zu verstehen weiß, kann Menschen nicht erkennen.*

Konfuzius oder *Kongfuzi* (551 v. Chr.–479 v. Chr.), Weiser der Zhou-Dynastie, prägt die chinesische Zivilisation und Mentalität bis heute. Im Unterschied zu seinen Zeitgenossen – Buddha oder die griechischen Vorsokratiker – begründete er weder eine Religion noch ein philosophisches System. Seine *Gespräche* beinhalten bodenständiges Know-how zu allen Fragen des Menschseins. Wer China verstehen will, muss Konfuzius lesen.

Apropos recht haben

Côte d'Azur, in einer Bar. Der Hafen ist wie
in Gold getaucht, der schönste Sonnenunter-
gang des Jahres steht kurz bevor. Sie sind
im Begriff, Ihrem Begleiter etwas furchtbar
Aufregendes ins Ohr zu flüstern. Gerade
wollen Sie Ihre Lippen spitzen – da wirft er
Ihnen allen Ernstes vor, dass Sie ja schon
wieder nicht an seine Zigaretten gedacht
hätten. Warum er die Zigaretten nicht selber
besorgen könne, fragen Sie. Warum Sie
schon wieder so zickig seien, gibt er zurück.
Als eine Frau von Welt bewahren Sie jetzt
natürlich einen kühlen Kopf. Sie setzen Ihre

Jackie-O-Sonnenbrille auf und prüfen erst einmal, ob er vielleicht recht haben könnte. Wer recht hat, muss die Wahrheit auf seiner Seite haben. Aber welche Wahrheitsbedingungen sollen, bitte schön, für zickig gelten? Eine Frau ist dann und nur dann zickig, wenn sie regelmäßig vergisst, Zigaretten zu besorgen? Lächerlich. Sie sehen Ihren in goldenes Licht getauchten Begleiter an. Wie kann man in einem solch erhabenen Moment nur so kleinkariert sein? Sie nehmen sich eine Olive und geben ihm das Recht, das er nicht hat. Schon ist der Frieden wiederhergestellt. Die Wahrheit ist natürlich ganz woanders. Nämlich bei Friedrich Schlegel: *Wahrheit wird nicht gefunden, sondern produziert. Sie ist relativ.*

Friedrich Schlegel (1772–1829), Philosoph, Literat und Kritiker, zählt wie sein Bruder August Wilhelm zu den Jenaer Frühromantikern. Er war eng befreundet mit Novalis und Ludwig Tieck. Seiner Theorie gemäß sollte es Philosophie und Literatur nur noch in Fragmentform geben, da allein diese die Wirklichkeit seiner Zeit wiedergeben könne. Die Lektüre seiner Schriften – zum Beispiel *Über die Unverständlichkeit* – eignet sich für alle, die sich für Poesie begeistern können und einen Sinn für Ironie haben.

Apropos Lust

Montagmorgen, sechs Uhr 59. Noch eine Minute watteweich liegen. Noch 60 Sekunden in wohliger Selbstgenügsamkeit vor sich hindämmern und von einer Welt ohne Uhren träumen. Gleich wird es mit der Ruhe vorbei sein. Schneller, als uns lieb ist, wird der Wecker unseren Trancezustand beenden. Kurz darauf wird unser Handy anfangen zu klingeln und bis zum späten Abend nicht mehr aufhören. Wir werden uns lustlos aus dem Laken schälen und ins Badezimmer schleichen. Aber bis dahin gehört der Tag uns. Als lägen wir auf Martinique unter einer Kokospalme und nippten an einem Manhattan. Als spürten wir die Sonne auf unserem Bauch und den lauen Wind in unserem Haar. Nachdenklich öffnen wir das linke Auge. Hätten wir nicht die Antillen bereist, wüssten wir auch nicht, was uns montagmorgens um sechs Uhr 59 entgeht. Hätten wir nicht gerade einen äußerst lustvollen Sonntag hinter uns, erschiene uns der heutige Tag weit weniger frustvoll. Jetzt öffnen wir auch das rechte Auge. Wir haben die Wahrheit erkannt. Sigmund Freud hat uns wachgeküsst: *Der Mensch ist eben ein »unermüdlicher Lustsucher«, und jeder Verzicht auf eine einmal genossene Lust wird ihm sehr schwer.*

Sigmund Freud (1856–1939), österreichischer Arzt und Psychologe, ist der Begründer der Psychoanalyse und einer der einflussreichsten Denker und Schriftsteller des 20. Jahrhunderts. Freud entdeckte das Unbewusste und erkannte, welch große Rolle die Kindheit beim späteren Erwachsensein spielt. Sehr amüsant und philosophisch finde ich seine *Psychopathologie des Alltagslebens*, in der er uns über die tiefere Bedeutung unserer Versprecher und Irrtümer aufklärt.

Apropos Sport

Monatelang haben Sie sich gedrückt. End-
lich haben Sie sich durchgerungen, Ihre
Komfortzone zu verlassen und aktiv zu werden. Sie haben es tatsächlich getan – Sie
sind einem Fitnessclub beigetreten. Jetzt
gibt es kein Zurück mehr. Auf Kommando
des Trainers rudern Sie wie wild mit den Armen. Es wird warm. Sie laufen im Krebs-
gang durch den Raum und lassen lachend
die Hüften kreisen. Doch die Freude ist kurz.
Der Coach überreicht Ihnen eine Langhantel
und befiehlt Ihnen, das Ding von Ihren
Schultern bis zur Nasenspitze zu stemmen.
Sie lassen sich Ihr Entsetzen nicht anmer-
ken. Tapfer bearbeiten Sie Ihre Außenrota-

toren. Willig trainieren Sie Adduktoren und Abduktoren. Sie vollziehen uncharmante Verrenkungen, um die maximale isometrische Muskelspannung im Gesäß zu halten. Sie zwingen sich in die Schenkelanzieher-Maschine. Das Dauerlächeln des Coachs kann Sie nicht blenden. Nie haben Sie einen grausameren Menschen erlebt. Jetzt fordert er Sie allen Ernstes auch noch zum Seilspringen auf. Wer soll ihm Grenzen setzen, wenn nicht Sie? Sie erheben sich unter Schmerzen und schreiten würdevoll gen Ausgang. Dschalal ad-Din Muhammad Rumi wusste es schon immer: *Brich auf, solange du kannst, zum Land des Herzens; Freude wirst du im Land des Körpers niemals finden.*

Dschalal ad-Din ar-Rumi (1207–1273), persischer Mystiker und Dichter, wurde durch die Begegnung mit dem Wanderderwisch Schamsuddin von Täbris – in dem er den Spiegel göttlicher Liebe sah – in eine mystische Ekstase versetzt. Dieses Ereignis inspirierte ihn, Tausende von Versen zu verfassen, um seiner Liebe zu Gott Ausdruck zu verleihen. Sein Hauptwerk *Das Mathnawi* enthält neben spirituellen Weisheiten auch scharfsinnige Betrachtungen über den Sinn des Lebens.

Apropos Eitelkeit

Sie sind mitten unter uns. Sie tragen teure
Anzüge und große Bäuche und halten sich
für Rockefeller. Sie zupfen ununterbrochen
an ihrem Haar und staunen über ihre ver-
blüffende Ähnlichkeit mit Lady Di. Alle
zehn Sekunden verkünden sie ihre Lieb-
lingsbotschaft, die aus nur einem einzigen
Wort besteht: »Ich«. Je nach Laune hauchen
oder blöken sie es in ihr Handy, unaufhör-
lich twittern sie es in die Welt hinaus. Stets
sind sie die Schönsten, Klügsten und Mäch-
tigsten: die Eitlen. Ob am Check-in-Schalter

oder auf dem Weg zum Zahnarzt, dauernd drehen sie erwartungsvoll den Kopf nach allen Seiten, als stünden die Paparazzi schon Schlange. Ihre Kleinen heißen Leon Louis oder Chaja Sophie und laufen in Sweatern mit Prinzen- und Prinzessinnenemblem herum – damit gleich klar ist, welchem Königreich sie angehören … Wenn wir den Eitlen von uns erzählen, erkranken sie kurzfristig an schwerer Interesselosigkeit. Wenn wir ihnen mit unserer bloßen Präsenz die Show stehlen, schäumen sie vor Wut. Blicken wir da nicht ein wenig zu streng auf unsere Mitmenschen? Nicht, wenn es nach Blaise Pascal geht: *Wer die Eitelkeit der Welt nicht sieht, ist selber eitel.* Jawohl.

Blaise Pascal (1623–1662), französischer Philosoph, Mathematiker und Physiker, hat uns unter anderem wesentliche Teile der Wahrscheinlichkeitsrechnung vererbt. Er war ebenso zweiflerisch wie tiefreligiös. In seinen ironisch-tragischen *Gedanken über die Religion* schildert er Größe und Elend des Menschen, der weder weiß, wer er ist, noch, wer ihn in die Welt setzte, noch, was die Welt überhaupt ist. Für ihn ist nur der Mensch zur Erkenntnis fähig, der Vernunft und die »Logik des Herzens« zusammen spielen lässt.

Apropos Staunen

Das neue Jahr bricht an. Sie holen einen Prosecco aus dem Kühlschrank und werden nachdenklich. Was wird das Leben wohl noch bringen – nachdem es Sie um den halben Globus jagte, in die tiefsten Täler und auf die höchsten Gipfel? Sie können es kaum fassen, dass die Frau, die jetzt die Flasche entkorkt, und jene Abenteurerin, die einst rastlos von einem Ort zum anderen rauschte, ein und dieselbe Person sein soll. Die Amazone, die mit wilder Lockenmähne und atemberaubenden Keilabsätzen jedes

Sturmtief überstand, die Krawattenträger börsennotierter Unternehmen das Fürchten lehrte und beim Mountainbiken in den Alpen fast ihren Traummann überfuhr – das sollen Sie gewesen sein? Sie treten mit dem Champagnerglas auf den Balkon und schauen in den Himmel. Nie hätten Sie sich träumen lassen, dass Sie mit einem Menschen namens Peter glücklich sein würden. Wenn man Ihnen vor fünf Jahren gesagt hätte, dass Sie Freude beim Zubereiten von Zwetschgenkonfitüre empfinden würden, Sie hätten nur gelacht. Angesichts all dessen erscheint Ihnen das Staunen die einzig angemessene Haltung. So heben Sie das Glas und prosten Platon zu: *Denn gar sehr ist dies der Zustand eines Freundes der Weisheit: die Verwunderung.*

Platon (427 v. Chr.–347 v. Chr.), Schüler von Sokrates, ist neben Aristoteles der bedeutendste Philosoph der griechischen Antike. Bestimmend für alle spätere westliche Philosophie war seine Ideenlehre, die bloße Erscheinungen (ein guter Mensch) von den wahren Wesenheiten (die Idee des Guten) unterscheidet. In seinen – scheinbar trivialen, in Wahrheit äußerst komplexen – philosophisch-literarischen *Dialogen* spielt meist Sokrates die Hauptrolle.

Apropos Zorn

Freudig schlüpfen wir in unsere neu erwor-
bene Stretchjeans. Der Tag kann beginnen.
Wir schwingen uns in den Bürosessel und
nehmen uns vor, heute einmal richtig viel zu
schaffen. Aber kaum haben wir den PC
hochgefahren, stellen wir fest, dass ein Virus
unsere Dateien lahmgelegt hat. Anstatt im
großen Stil Geschäfte abzuwickeln, müssen
wir uns von unserem langhaarigen System-
administrator tadeln lassen, irgendwelche
Sicherheitsvorkehrungen vernachlässigt zu
haben. Mittendrin klingelt das Telefon Sturm.

Leider ist es nicht der lang ersehnte Anruf aus Zürich, sondern die Sportlehrerin unseres Jüngsten, der einem Kameraden soeben einen Eckzahn ausgeschlagen hat. Also canceln wir den bereits dreimal verschobenen Termin mit unserem Chef, rauschen in die Schule und leisten Krisenintervention. Und schon geht der Tag zur Neige. Nach einer Stunde am Herd schlagen wir leicht erschöpft Oswald Spenglers *Untergang des Abendlandes* auf. Da fragt uns unser Liebster mit Blick auf unsere Stretchhose, ob wir zugenommen hätten. Wir sehen rot. Doch bevor wir beginnen, besinnungslos auf den Arglosen einzuschlagen, vergessen wir nicht, unsere Tat mit Horaz zu adeln: *Der Zorn ist kurze Raserei.* Und schon fühlen wir uns besser.

Horaz (65 v. Chr.–8 v. Chr.), römischer Dichter, steht der Philosophie der Freude Epikurs (s. o.) nahe. In seinem Alterswerk, den *Episteln*, philosophiert er über die Eigenheiten und Fehler des Menschen und betont die Bedeutung des rechten Maßes für ein gelingendes Leben. Von ihm stammt die Mahnung »Carpe diem!« (»Pflücke den Tag!«), was bedeutet: Lebe so, als wäre jeder Tag dein letzter – aber auch so, als wäre jeder Tag dein erster!

Apropos Mode

Neulich bei Ihnen im Wohnzimmer. Sie liegen bäuchlings auf dem Teppich. Neben Ihnen ein umgestürzter leerer Karton, um Sie herum Hunderte Familienfotos aus den unterschiedlichsten Dekaden. Sie fischen das Schwarzweißbildnis einer jungen Frau am Strand heraus, deren hohe Wangenknochen Ihnen seltsam bekannt vorkommen. Eine Verwandte Ihrer Großmutter? Die Dame posiert offenkundig stolz in einem knielangen, quer gestreiften, bis unter die Taille durchgeknöpften Badeanzug. Dazu trägt sie ebenso unvorteilhafte schwarze Latschen. Ihnen laufen wohlige Schauer über den Rücken. Nur unter Androhung von Gewalt würden

Sie sich in ein derart gruseliges Outfit zwängen. Belustigt greifen Sie zwei andere Fotos heraus. Die Braut mit der weißen Haube und dem geschmacklosen nerzbesetzten Rocksaum, das ist Ihre Tante. Und dieser Knabe mit der giftgrünen Trompetenhose und dem viel zu engen Pullunder, soll das Ihr kleiner Bruder sein? Sie kneifen die Augen zusammen. Nein, das sind Sie selbst als Studentin. Sie krümmen sich vor Lachen. Nichts ist für die Ewigkeit. Auch nicht die lässigen Shorts, die Sie erst gestern erstanden haben. Und das ist auch gut so. Genau das ist doch der Witz an der Mode, wie schon Henry David Thoreau wusste: *Jede Generation lacht über Moden, aber folgt den neuen treu.*

Henry David Thoreau (1817–1862), Lehrer und Philosoph, ist neben Ralph Waldo Emerson der berühmteste der amerikanischen Transzendentalisten (eine missverstandene Ableitung von Immanuel Kants Transzendentalphilosophie). Über seine zwei Jahre in einer selbst gebauten Hütte am Ufer des Walden-Sees, in denen er sich ganz dem »wirklichen Leben« und der Entfaltung seiner moralisch-spirituellen Fähigkeiten widmete, schrieb er das legendäre Buch *Walden*. Die darin enthaltenen Naturbetrachtungen sind allen Stadtmenschen sehr zu empfehlen.

Apropos Internet

Wissenslücken zu schließen kostete einst
Zeit und Nerven. Beim Versuch, einen weit
nach hinten gerutschten Band der Encyclo-
paedia Britannica auf dem obersten Regal-
brett zu erreichen, zogen wir uns nicht selten eine Zerrung zu. Hexenschüsse waren
der Preis für einen Einblick in die dorische
Säulenordnung. Heute surfen wir zu Wiki-
pedia. Wir schielen halb konzentriert auf ein
Bild des Poseidontempels in Paestum und
scrollen ein wenig auf und ab. Nach zwei

Minuten wandert unser Finger ganz automatisch zu Amazon.de. Dort entdecken wir die zweite Staffel von »Sex and the City« zum Sonderpreis. Wir kaufen Staffel eins bis vier und recherchieren dann über Sarah Jessica Parkers neueste Ehekrise. Anschließend informieren wir uns auf »Spiegel Online«, wie es um die Klimakatastrophe steht. Plötzlich stolpern wir über die Anzeige eines Reiseportals. Urlaub in Kampanien, Paestum … Kommt uns dieser Ort nicht irgendwie bekannt vor? Anstatt auch nur eine Sekunde nachzudenken, fangen wir lieber gleich an zu googeln. *In einer irrsinnigen Welt vernünftig sein zu wollen ist schon ein Widerspruch in sich,* rechtfertigt Voltaire unser Tun.

Voltaire (1694–1778), alias François Marie Arouet, französischer Philosoph der Aufklärung, war verglichen mit Zeitgenossen wie David Hume und Immanuel Kant zwar kein großer Geist, aber ein Literat mit Esprit und enormer Wirkungskraft. Seine ironisch-spöttischen Werke wurden oft kurz nach Erscheinen verboten und beschlagnahmt. Lesenswert ist seine Satire *Candide*, in der er gegen die Naivität des Menschen, den Adel, die Inquisition und vieles andere mehr wettert.

Apropos Feigheit

In unseren Träumen haben wir viel Freude
und wenig Probleme. In der Wirklichkeit
verhält es sich etwas anders. Sobald ein wenig Freude in unser Leben getreten ist, wird
es auch schon wieder ungeheuer problema-
tisch. Kaum haben wir Marcel Prousts *Auf
der Suche nach der verlorenen Zeit* aufge-
schlagen, kaum haben wir uns in die Schilderungen von ovalen Sandtörtchen und Linden-
blütentee versenkt, beginnt die Temperatur
zu fallen. Das Thermometer zeigt gefährli-
che Minusgrade an. Schon sind wir erkältet.
Unser Liebster kränkelt auch und verlangt

nach Suppe. Zerstreut fahnden wir nach den Brühwürfeln. Unsere Schwiegermutter greift ein und drängt uns aus der Küche. Kaum sind wir einer Verantwortung entledigt, ruft unser Chef an und beschert uns einen Sonderauftrag. Nach Hongkong sollen wir fliegen, es gäbe da Schwierigkeiten. Jetzt sofort natürlich, vier Tage vor Weihnachten. Einen wasserfesten Deal sollen wir abschließen – mit den Chinesen?! Wir fühlen uns klein und zerbrechlich. Wir wollen protestieren, da flüstert uns Jean-Jacques Rousseau ins Ohr: *Wäre Feigheit niemals der Tugend Hindernis, so würde sie aufhören, ein Laster zu sein.* Mit tränenden Augen betreten wir die Gangway. Und gehen tugendhaft den Problemen entgegen.

Jean-Jacques Rousseau (1712–1788), in Genf geborener aufklärerischer Philosoph, war ein widersprüchlicher und schwieriger Außenseiter. Als radikaler Gesellschaftskritiker forderte er einen neuen Staat und eine neue Moral. Berühmt ist sein *Gesellschaftsvertrag*, der mit den Maximen »Freiheit, Gleichheit, Brüderlichkeit« eine Art Anleitung zur Französischen Revolution lieferte. Mit *Émile* schrieb er einen äußerst einflussreichen Erziehungsroman – steckte aber seine eigenen fünf Kinder ins Findelhaus.

Apropos Neid

Eigentlich wollen Sie bloß Ihre Tochter vom Kindergeburtstag abholen. Kaum haben Sie das Kind in den Arm geschlossen, hören Sie hinter sich: »Süße Reiterhose. Simonetta?« Ehe Sie die Tragweite dieser Frage begriffen haben, flötet es neben Ihnen: »Und der Lacktrench? Burberry?« Zwei fremde Mütter in einem akuten Anfall von Neid. Den sie unter einer Maske von Liebenswürdigkeit zu verbergen suchen. »Dürfen wir?« Mit unglaublicher Schnelligkeit strecken sie ihre Finger aus. Um die Textur der kindlichen Garderobe zu überprüfen. Die dritte Mutter springt helfend ein. »Süß ist Ihre Kleine – aber sie steht so krumm. Macht sie kein Ballett?« Und die vierte fügt hinzu: »Übrigens spielt meiner jetzt Golf. Und Chopin.« Und die fünfte: »Meiner golft, reitet und spricht fünf Sprachen.« Irgendwie gelingt es Ihnen, Ihr Kind an die frische Luft zu zerren. Doch der Friede währt nicht lange. Die Geburtstagsgäste sind Ihnen dicht auf den Fersen. Eine Schar Achtjähriger in Crème, Mint und Ecru ruft Ihnen hinterher, dass sie in allen wichtigen Frühförderungsprogrammen integriert seien. Und seit ihrem sechsten Lebensjahr über ihr Outfit selbst bestimmten. Mit erhobenem Zeigefinger mahnen Sie Ihre Tochter: »Das, meine Liebe, ist bloß Neid. *Der Neid der Menschen zeigt an, wie unglücklich sie sich fühlen.*« – »Schopenhauer«, ergänzt das Kind.

Arthur Schopenhauer (1788–1860) fand seine Inspirationen bei Platon, Immanuel Kant – und beim Buddhismus. Für ihn ist »der Wille« eine alles durchdringende Kraft, die Triebkraft der Natur, aber auch die Ursache allen Leidens in der Welt. Entsprechend sieht Schopenhauer im Mitleid eines Menschen für die Misere des anderen die Wurzel der Sittlichkeit. Allen Pessimisten (und solchen, die es werden wollen) empfehle ich Schopenhauers *Aphorismen zur Lebensweisheit.*

Apropos Meditation

Unser Lebensrhythmus wird immer schneller. Und wir versuchen, Schritt zu halten. Wir steigen in Flugzeuge und Schnellzüge. Wir statten uns mit Smartphones und iPads aus, um bloß nichts zu verpassen. Ruhezeiten kommen in unserem Terminkalender nicht vor. Obwohl wir ständig Zeit gewinnen, rast sie an uns vorbei. In unserer Verzweiflung buchen wir ein Meditationsseminar. Zen-Meister Harry zeigt uns den Nutzen des Altruismus auf und mahnt uns zur Achtsamkeit. Wir zwingen uns in den Schneidersitz und konzentrieren uns auf unseren Atem. Mit geschlossenen Augen bemühen wir uns, den Zustand der Leere zu erreichen. Vergeblich. Sobald wir versuchen, unsere Gedanken loszulassen, erinnern wir uns daran, im totalen Halteverbot geparkt zu haben. Uns fällt ein, dass wir noch unser Lieblingskleid aus der Reinigung holen müssen. Dass wir wieder einmal unsere Freundin in Hamburg anrufen könnten. Und dass wir durch Sitzen allein sicher nicht schlanker werden. Langsam werden wir unruhig. Die Erleuchtung lässt auf sich warten. Und dann schläft uns auch noch der Fuß ein. Auf unserer Stirn bilden sich Schweißperlen. *Erkenne, was die jeweilige Situation gerade verlangt*, mahnt Dōgen Zenji. Akzeptanz ist das beste Mittel, um sich die Zeit zum Freund zu machen.

Dōgen Zenji (1200–1253), japanischer Zen-Buddhist, importierte die Lehren des chinesischen Chan-Buddhismus nach Japan. Er gründete einen Tempel und ein Kloster nach chinesischem Vorbild, wo ausschließlich »Zazen« (Sitzmeditation) praktiziert wurde. Dōgens Lehre gemäß soll sich der Meditierende nicht auf ein Ziel – die »Erleuchtung« – fokussieren, sondern einfach aufs Hier und Jetzt.

Apropos Selbstwertgefühl

Sie zweifeln an sich selbst? Sie glauben ernsthaft, Sie seien der französischen Justizministerin unterlegen? Nur weil Sie länger als fünf Tage im Wochenbett zubrachten? Und sich anschließend weigerten, auch nur einen Blick auf Ihre Lacklederstiefel zu werfen? Gewöhnen Sie sich ab, Publicity mit Persönlichkeit gleichzusetzen! Sie zweifeln an Ihrem rhetorischen Können? Zerreißen Sie die Strichlisten über Ihre Freud'schen

Versprecher! Sie werden rot, wenn man Sie auf Ihre großen Füße anspricht? Canceln Sie das Seminar zum Thema »Sicheres Auftreten«! Und wenn Sie schon dabei sind: Gewöhnen Sie sich ab, die Ursachen für Ihre Unfähigkeit einzuparken in Ihrer Kindheit zu suchen. Und versuchen Sie nicht länger, Ihre Abwehrmechanismen in Schach zu halten, wenn die Frau Ihres Geliebten Ihren Weg kreuzt – in genau dem gleichen weißen Kleid, das er Ihnen auch geschenkt hat … Selbstvertrauen ist besser als Selbstanalyse. Selbstfreundschaft besser als Selbstzweifel. Legen Sie einfach die Beine hoch. Zünden Sie eine Duftkerze an und hören Sie auf Patrul Rinpoche: *Folge dem Beispiel einer alten Kuh: Sie ist es zufrieden, in der Scheune zu schlafen.*

Patrul Rinpoche (1808–1887), Lehrer und Autor und ein Vertreter des tibetischen Buddhismus. In seinen Schriften mahnt er uns, die Vergänglichkeit aller irdischen Freuden zu erkennen und unter Anleitung eines spirituellen Meisters an der Entwicklung unseres inneren Glücks zu arbeiten. Angeblich weinte Patrul Rinpoche an jedem Neujahrstag wegen der vielen Menschen, die die Zeit nicht genutzt hätten, um sich auf den Tod vorzubereiten.

Apropos Hoffnung

Schon bald könnte alles vorbei sein. Wenn
wir heute die erste Seite eines druckfrischen
Hochglanzmagazins aufschlagen – schließen wir für einen Moment die Augen. Es
könnte das letzte Mal sein. Wenn wir dem-
nächst unsere neueste Neuerwerbung in Be-
trieb nehmen – eine ausziehbare Küchen-
brause mit LED-Lichtring? –, halten wir
einen Moment inne. Unsere Designarmatur
könnte bald empfindlich beschädigt sein.

Terroristen könnten auf unserem Sofa herumtrampeln und politische Forderungen stellen. Nichts ist für immer. Genießen wir den kalten Charme unseres Neo-Rauch-Posters – schon bald könnte uns selbst frösteln. Die Klimakatastrophe rückt näher. Klirrende Kälte. Eisregen. Glühende Hitze. Schlüpfen wir demütig in unser Babydollkleid und danken dem Himmel, dass es aus organischer Baumwolle ist. Vielleicht müssen wir uns bald mit Acryl begnügen. Die Globalisierung könnte die Armen begünstigen. Und die Reichen bestrafen … Aber haben wir keine Angst vor dem Verlust unserer Reichtümer. Hoffen wir lieber. Auf mehr Gerechtigkeit, Nächstenliebe und Frieden. *Den Traum vom Unwahrscheinlichen nennen wir Hoffnung*, meint Jostein Gaarder. Die Hoffnung kommt nie aus der Mode.

Jostein Gaarder (*1952), norwegischer Philosoph und Schriftsteller, ist vor allem für seine Kinder- und Jugendromane mit philosophischem Inhalt bekannt. Sein Bestseller *Sofies Welt* führt Kinder spielerisch an die Geschichte der Philosophie heran. Das Buch ist aber auch für alle Erwachsenen geeignet, die die direkte Konfrontation mit Geistesgrößen wie Platon oder Immanuel Kant scheuen.

Webadressen

Philosophische Beratung:
www.praxis-reinhard.de

Philosophische Werkzeuge für knarzende
Gehirne und Denkbaustellen:
www.facebook.com/mikrophilosophie

Danksagung

Für Unterstützung, Anerkennung und Inspirationen danke ich meiner Familie und allen mir Nahestehenden, Michael Meller, Andrea Kunstmann, Julia Tassinopoulos, Familie von Pauer, Marilyn Monroe, Susanne Holbe, Katrin Riebartsch sowie den Lesern von *Die Sinn-Diät* und *Odysseus oder die Kunst des Irrens*.

Warum der Umweg das Ziel ist

REBEKKA REINHARD

Odysseus oder Die Kunst des Irrens

Philosophische Anstiftung zur Neugier

LUDWIG

ISBN 978-3-453-28017-5

Leseprobe unter
www.ludwig-verlag.de

Ein einziges großes Sicherheitsrisiko: So kommt uns unser Leben vor. Mit Expertenhilfe versuchen wir, jede Unwägbarkeit auszuschalten. Wir bemühen uns, bloß nicht vom Weg abzukommen – und verkümmern in der Öde unseres durchorganisierten, sinnfreien Alltags. Ja, die Zukunft ist ungewiss – aber nicht bedrohlich. Hören wir auf, uns zu fürchten, und lernen wir das Leben von seiner spannendsten Seite kennen – der unvorhersehbaren.

LUDWIG
Bücher für das wahre Leben